Pour Pierre Briançon,

LE DÉNI FRANÇAIS ...

... avant le retour au réel ??!

Yours sincerely,

[signature]

www.editions-jclattes.fr

Sophie Pedder

LE DÉNI FRANÇAIS

Les derniers enfants gâtés de l'Europe

JC Lattès

Ouvrage publié sous la direction de
Mathieu Laine

Maquette de couverture : Atelier Didier Thimonier
Photo de la quatrième de couverture : Patrice Normand / Opale

ISBN : 978-2-7096-3962-0

Pour Bertrand, Chloé et Luc,
et à la mémoire de mon père.

« L'avenir, fantôme aux mains vides, qui promet tout et qui n'a rien. »

Les Voix intérieures, Victor Hugo

« La lucidité est la blessure la plus rapprochée du soleil. »

Feuillets d'Hypnos, René Char

Sommaire

Introduction

La France, dernier enfant gâté
de l'Europe ?

Quel bonheur d'être Français ! La crise dans la zone euro ne fait que s'aggraver et toute l'Europe s'inflige des mesures d'urgence sans précédent, mais les Français se prélassent toujours dans le luxe d'un modèle social sans équivalent. Longs week-ends grâce aux RTT. Système de santé remarquable. Retraite de bonne heure. Services publics à portée de la main. Congés payés hors pair. Le pays se prépare à un avenir incertain en s'enfermant dans le déni du réel.

Suite à une campagne électorale marquée par la rêverie et l'esquive, l'heure est maintenant à une politique de rigueur qui n'ose pas dire son nom. À entendre le nouveau gouvernement, le pays s'est embarqué dans un redressement fondamental des comptes publics, dans un sérieux budgétaire, qui se ferait sans austérité, sans coupes sauvages dans les dépenses et sans douleur pour les classes moyennes. Sans parler d'une amélioration de la compétitivité sans effort important. Bref, un redressement sans aucun sacrifice. Le déni a changé de nature mais il existe toujours.

Les Français n'ont encore rien vu ! Malgré la succession de mesures budgétaires d'urgence, annoncées par le gouvernement précédent, les dépenses publiques n'ont pas cessé d'augmenter depuis le début de la crise actuelle, et le programme officiel du Parti Socialiste ne prévoit pas de renverser la tendance. Au point qu'elles représentent une part de P.I.B. plus élevée qu'en Suède et que la dette publique, exprimée en pourcentage du P.I.B., dépasse celle de l'Espagne[1].

Par rapport à l'effort de redressement consenti par d'autres pays européens, les Français restent de grands privilégiés, les enfants gâtés de l'Europe.

---

1. O.C.D.E. *Perspectives économiques* n° 91, mai 2012. En 2012, les dépenses totales des administrations publiques en France représentent 56 % du P.I.B. nominal, contre 52 % en Suède. *IMF World Economic Outlook*, avril 2012 : la dette publique représente 89 % du P.I.B. en France contre 79 % en Espagne.

Introduction

Du berceau au cercueil, ils sont soignés, protégés, assistés, choyés : allocations familiales géné-
ralisées ; âge moyen de la retraite à moins de
60 ans ; crèches municipales et garderies publiques ; soins et consultations à volonté ; installations
culturelles et sportives qui font envie ; villes fleuries
et bâtiments publics impeccables ; allocations de
chômage généreuses. Pas surprenant que les Anglais
aiment tant venir s'installer dans des villages français pour y bénéficier d'une vie aussi délicieuse !

Mais les Français n'ont plus les moyens de maintenir ce train de vie ! Depuis plus de trente ans,
tout a été financé à crédit. La France ne peut plus
se permettre un tel luxe. Il faudra se préparer à faire
un effort réel et à affronter l'avenir avec un modèle
plus modeste, et un nouveau pacte social.

Ce livre est né d'une réflexion cristallisée au cours
de la campagne électorale, que j'ai développée dans
The Economist du 31 mars 2012. La une détournait
le tableau du *Déjeuner sur l'herbe* de Manet avec le
titre « La France dans le déni[1] ». Cet article a fait
des vagues en France et j'ai eu droit à un torrent de
critiques. Quel était son principal message ? Que la
campagne présidentielle de 2012, malgré un vrai
consensus sur la nécessité de réduire le déficit et la

---

1. « An Inconvenient Truth », *The Economist*, 31 mars 2012.

15

dette, n'a en aucune mesure préparé les Français aux décisions difficiles qui sont à venir. Au contraire, François Hollande, alors candidat, a esquivé les arbitrages budgétaires qui s'imposeront si le pays veut tenir ses engagements. La classe politique n'a pas été tout à fait honnête avec son électorat à propos de l'effort qu'il faudra fournir pour redresser les comptes publics et la compétitivité du pays. Les Français ont été confortés dans l'illusion que le pays pouvait continuer à se payer un modèle social à la suédoise – sans savoir créer la richesse nécessaire pour le financer.

L'article paru dans *The Economist* m'a valu d'être traitée d'étrangère ignorante, ne comprenant rien aux règles de la politique française, avec ses codes, ses non-dits et son besoin de faire rêver pendant une campagne électorale. Le plus cinglant a été Laurent Joffrin, qui a intitulé son éditorial dans *Le Nouvel Observateur* : « *The Economist*, "Pravda" du capital[1] », et qui nous accusait de manifester les « préjugés d'un petit groupe de talibans du libéralisme ».

Que disait M. Joffrin ? Au fond, il récusait le diagnostic : « Comme toujours, il faut couper les dépenses publiques, supprimer les protections du

---

1. Laurent Joffrin, « The Economist, "Pravda" du capital », *Le Nouvel Observateur*, 5 avril 2012.

travail, abaisser la taxation des riches, faire reculer l'État. Sinon, le verdict des marchés jettera la France dans le cul-de-basse-fosse où croupit déjà la Grèce. *The Economist* omet deux choses : le programme des deux principaux candidats prévoit une réduction progressive des déficits sur quatre ou cinq ans, l'un par réforme fiscale, l'autre par limitation des dépenses. Aller plus vite – *The Economist* l'oublie –, c'est risquer la récession, qui rendra tout impossible, dans un processus à la grecque. »

M. Joffrin a raison de constater que, lors de la campagne, les deux principaux candidats ont adopté un programme de réduction progressive des déficits. C'est effectivement un premier pas. Mais le problème n'est pas là. Dans un contexte de croissance molle et de comptes publics déplorables, le problème auquel le Président Hollande doit maintenant faire face est le suivant : rien que pour atteindre ces objectifs, il faudra un effort bien plus important que celui prévu dans le programme électoral. Un effort qui ne peut se limiter à la seule réforme fiscale ; un double effort de redressement de la compétitivité et de la dette auquel les Français ne s'attendent pas. Tout cela était entièrement prévisible. Mais pendant la campagne, les candidats ont préféré l'esquive et le déni. Il ne s'agit pas d'aller plus vite que prévu… juste de tenir les engagements actuels, sans recours à la seule facilité de l'augmentation des prélèvements obligatoires et sans mettre en péril la croissance.

Lorsque ma rédaction à Londres m'a envoyée à Paris pour la première fois en 2003, en tant que correspondante de *The Economist*, je me suis vite habituée à de telles réactions, souvent houleuses. Je n'avais – à ce qu'on m'en disait – rien saisi de la France. J'aurais dû savoir que ce pays, comme un adolescent incompris, fait les choses différemment. Vieille civilisation, et fière de l'être, elle est fondée sur des valeurs de solidarité et de cohésion sociale, soutenues par un État fort et des services publics de qualité, garants de l'art de vivre à la française. Le pays ne souhaite pas abandonner ses pauvres à la rue, comme New York ou Londres, ni ses commerces à Wal-Mart. Son modèle de croissance économique repose sur une dépense publique forte et efficace, fruit d'un consensus social, bien éloigné du service public minimal à l'anglo-saxonne.

Qui plus est, me faisait-on remarquer, le modèle ne fonctionne pas si mal. La France fait partie des pays les plus riches du monde. Même depuis la fin des Trente Glorieuses, sa richesse augmente, ce qui lui permet de se doter d'un niveau élevé de protection sociale et de bénéficier d'un service public en proportion. Je me souviens d'une longue conversation que j'eus en 2004 avec un proche conseiller du Président Jacques Chirac. Il me gratifia d'un cours magistral sur les atouts d'un tel modèle : « On nous serine depuis des années que les choses vont mal. Mais c'est faux. Nous avons un excellent système de santé, des transports publics de qualité, des services publics remarquables. Il n'y a pas de crise et il n'y a pas de problème fondamental à résoudre. »

Le problème, c'est que la France a financé tous ces privilèges à crédit ! La croissance de la France au cours des trente dernières années n'a pas été suffisante pour financer ce système. Malgré un niveau de taxation déjà très élevé, les Français ne travaillent pas assez et ne créent pas assez de richesse pour s'offrir tous ces avantages. La France aborde une période périlleuse. Et les difficultés qu'elle rencontrera ne résulteront ni de l'Europe, ni des banques, ni de la spéculation, ni des *hedge funds*, ni des agences de notation. Leur origine se situe dans le choix que les dirigeants français, de droite comme de gauche, ont fait depuis trente ans de repousser sans cesse les échéances en augmentant la dette et en accumulant les budgets déficitaires, financés par des emprunts et non par la croissance et les recettes fiscales qui en découlent. Au lieu de responsabiliser les Français, presque toute la classe politique les a maintenus dans l'illusion que l'État pouvait tout faire et pour toujours – règle à laquelle Lionel Jospin avait osé déroger à ses dépens avec son « l'État ne peut pas tout » –, quitte à hypothéquer l'avenir.

Malgré les mesures budgétaires d'urgence qui s'accumulent depuis la rentrée 2011, la France continue de vivre largement au-dessus de ses moyens. Avec une dette publique qui frôle les 1 800 milliards d'euros, chaque ménage endosse presque 70 000 euros d'emprunt. Ce sont les enfants français qui paieront. Quel héritage !

Bien entendu, tout l'enjeu consiste à trouver le bon dosage entre l'assainissement des comptes publics et le soutien à la croissance. À court terme, une baisse trop drastique des dépenses publiques pourrait provoquer une récession encore plus grave. Mais, comme le dit avec gravité la Cour des Comptes, la France se trouve « dans une zone dangereuse[1] ». Par la voix de son président, Didier Migaud, d'autant plus crédible qu'il s'agit d'un ancien député socialiste, la Cour estime que si « ce nécessaire effort de rééquilibrage peut comporter un effet négatif à court terme sur la croissance [...] il doit surtout être relativisé par rapport aux effets beaucoup plus graves et durables que comporterait

---

1. *Rapport sur la situation et les perspectives des finances publiques*, *Cour des Comptes*, juillet 2012.

une sortie de la trajectoire de retour à l'équilibre ». C'est une démarche à deux volets : il faut améliorer la compétitivité de l'économie, avec une politique qui stimule la concurrence, l'innovation et l'investissement afin de doper la croissance, tout en diminuant, progressivement mais de manière déterminée, le poids du secteur public dans l'économie.

Car les tergiversations autour de la crise dans la zone euro dissimulent en France une perte de compétitivité et une inquiétante divergence de performance économique avec l'Allemagne. Alors qu'en 2000, la France avait une balance commerciale positive et une croissance du P.I.B. légèrement supérieure à celle de l'Allemagne, la situation s'est aujourd'hui inversée : le solde commercial est négatif pour la France, alors que celui de l'Allemagne reste positif ; et l'écart de croissance entre les deux pays s'est creusé. Cette faiblesse mine la capacité de la France à financer son train de vie et rend les économies encore plus nécessaires. Cela n'a pas échappé aux voisins européens de la France, notamment aux Allemands. Wolfgang Schäuble, le ministre allemand des Finances, a vivement critiqué la décision du Président François Hollande de rétablir la retraite à 60 ans pour certaines personnes entrées très tôt dans le monde du travail. « En

Europe, nous avons décidé d'adapter nos systèmes de protection sociale à l'évolution démographique, a-t-il déclaré. Nos pays sont tous vieillissants. Mais la décision du Président Hollande d'abaisser l'âge de la retraite ne correspond pas à cette décision[1]. » Le ministre allemand de l'Économie, Rainer Bruederle, est allé droit au but. La France, a-t-il déclaré, est un pays qui « a vécu sur l'assistance et négligé sa compétitivité ».

Lors de la campagne électorale américaine, Mitt Romney, candidat républicain, s'est moqué de l'Europe en accusant Barack Obama de vouloir importer la version européenne du socialisme. « Il veut faire de l'Amérique une société d'assistance à l'européenne, a-t-il déclaré dans le New Hampshire. Nous voulons tout faire pour rester une terre libre et prospère, une terre d'opportunités. » Ce commentaire a amené Clive Crook, éditorialiste de *The Atlantic*, à commenter : « Personne ne sera jamais élu Président des États-Unis en promettant de les faire ressembler à la France[2]. »

Aujourd'hui, en vérité, les Européens sont devenus la risée des pays émergents qui nous regardent partir en vacances ou à la retraite au lieu de

---

1. Interview avec *La Stampa*, 13 juin 2012.
2. Clive Crook, « If Europe Can Learn From U.S., Why Not Vice Versa ? », *Bloomberg View*, 11 janvier 2012.

attachés ! C'est un modèle non seulement insoutenable à long terme à cause de la dette qui en découle,
mais un modèle à bout de souffle.

La société française dispose d'atouts nombreux
et formidables : sa capacité à marier tradition et
modernité, à préserver la solidarité familiale et
maintenir une alimentation saine, à valoriser l'enra-
cinement régional et les produits qui en découlent,
à refuser la commercialisation à tout prix, à donner
du temps à l'esprit et aux débats, à affirmer sans
complexe ses valeurs, à garantir la rigueur à l'école,
à promouvoir la culture et à protéger sa richesse,
et mille autres façons de vivre à la française. Je suis
britannique, mais j'habite en France depuis de
nombreuses années ; j'ai fait le choix d'y élever mes
enfants, qui ont la double nationalité, et de les
scolariser dans des écoles françaises. C'est un pays
magnifique. Et c'est précisément pour tirer le meilleur parti de tous ses atouts, et conserver au mieux
son modèle, que le pays devra évoluer.

Mais les dirigeants français depuis des décennies
n'ont jamais osé expliquer clairement que le pays
ne peut pas défier les règles économiques qui
s'appliquent à tous les autres. Entre grandeur et
décadence, le pays s'est réfugié dans une illusion
car la réalité dérange. Le choix réside entre d'un
côté un déclin maîtrisé, avec un lourd prix à payer
pour la prochaine génération et le risque d'un

démantèlement brutal de la protection sociale ; et de l'autre, un effort sérieux pour restaurer la compétitivité, retrouver la croissance et préserver un modèle social, certes plus modeste mais durable. Cette réalité n'est pas agréable à entendre. Elle ne sera pas facile à mettre en œuvre. Mais c'est la réalité. Il faut que les Français apprennent à vivre autrement.

1

Mais on demande déjà
des sacrifices aux Français

Un beau jour de novembre 2011, le Premier ministre d'alors, François Fillon, entre dans une salle de l'hôtel Matignon les traits tirés, le visage figé. Il ne sourira pas une seule fois pendant tout son discours. Son dernier plan d'économies, déclare-t-il d'un ton grave, est le plus rigoureux depuis 1945. Jamais les Français n'ont fait autant d'efforts pour désendetter le pays et maîtriser leurs dépenses. Augmentation de la T.V.A. Gel des salaires des membres du gouvernement et du président de la République. Revalorisation *a minima* des prestations sociales. L'heure est grave.

Depuis la panique de l'été 2011, lorsque les agences de notations ont commencé à menacer le triple A de la France, les mesures budgétaires d'urgence se sont succédé. Près de 11 milliards d'euros d'économies supplémentaires sur le budget 2012 annoncés en août 2011. Puis 7 milliards d'euros en novembre 2011. Et encore 7 milliards en juillet 2012.

Les Français eux-mêmes semblent avoir intégré le besoin de réduire les dettes publiques. Dans les sondages, une grande majorité, jusqu'à 91 %, se déclare « inquiète » à propos du déficit public et de la dette. Lors de la campagne électorale, François Hollande a présenté son programme comme réaliste et prudent, adapté à « la gravité de la situation, l'ampleur de la crise ». Il s'est engagé à respecter le programme de réduction des déficits (3 % dès 2013) et à les éliminer dès 2017. C'est une nouveauté pour un candidat de gauche, et c'est un grand pas vers une gestion responsable des finances publiques. Le candidat socialiste déclare : « Chacun sait qu'il conviendra de faire un effort, si nous voulons atteindre l'objectif de réduction de nos déficits publics. »

Mais il faut être lucide. Les Français n'ont encore rien vu ! Tout l'effort reste à venir.

Afin de comprendre pourquoi, il faut revenir à 1974, la dernière année où un gouvernement français a présenté un budget en équilibre. Qu'est-ce que cela veut dire concrètement ? Que depuis près de quarante ans, chaque gouvernement français, de gauche comme de droite, a dépensé plus d'argent qu'il n'en a reçu. Et pour ce faire, il a emprunté sans cesse. Quarante ans d'emprunts ont presque multiplié la dette par vingt. Jusqu'à atteindre près de 1 800 milliards d'euros. Le niveau d'endettement en France s'élève actuellement à 89 % du P.I.B., contre 20 % en 1980.

Cette somme ne tient pas majoritairement à la crise économique actuelle, bien qu'elle ait réduit les recettes et augmenté les dépenses. Cette somme colossale est le résultat d'un choix : le recours à l'endettement depuis quatre décennies, de François Mitterrand à Nicolas Sarkozy inclus. Comme l'a bien dit en 2005 la Commission sur la dette, présidée par Michel Pébereau : « Chaque fois qu'un problème nouveau s'est présenté à lui depuis vingt-cinq ans, notre pays y a répondu par une dépense supplémentaire[1]. »

Mais le recours à l'endettement est un piège. Car la France dépense de plus en plus, ne serait-ce que pour payer les intérêts de la dette. Pas pour rembourser ou diminuer la dette elle-même. À raison

---

1. Michel Pébereau, « Rompre avec la facilité de la dette publique : pour des finances publiques au service de notre croissance économique et de notre cohésion sociale », *La Documentation française*, 2006.

de plus de 50 milliards d'euros par an, la charge de la dette représente le premier poste du budget, devant celui de l'enseignement scolaire. C'est l'équivalent de l'ensemble des recettes de l'impôt sur le revenu. Autrement dit, l'impôt sur le revenu collecté chaque année par le gouvernement ne sert pas à moderniser les hôpitaux ou à équiper les écoles avec du matériel high-tech ; il ne sert qu'à payer les intérêts des emprunts d'hier. Et si jamais le taux de ces emprunts vient à augmenter, ce niveau d'intérêts va s'envoler.

L'aveuglement volontaire ?

Pendant quatre décennies, tout cela s'est déroulé dans l'indifférence générale. Car aucun dirigeant, ni de gauche ni de droite, n'a eu le courage de mettre en place les économies nécessaires, ni de mettre fin à l'illusion qu'il pouvait y avoir des lendemains meilleurs sans effort. François Fillon a osé parler un jour de « faillite » des comptes publics, et il a mis en place une réforme *a minima* de l'âge de retraite. Pourtant, sous son gouvernement, la dette et les dépenses ont continué de grimper et la solidité à long terme du système de retraites n'est pas garantie. Pendant la campagne présidentielle, François Hollande a insisté sur la nécessité de diminuer la dette, mais sans expliquer aux Français qu'il faudrait, pour la réduire durablement, baisser les dépenses publiques de façon importante.

Pire, l'effort déjà consenti par la France n'est guère suffisant. Certes, le pays a présenté à la Commission européenne un plan de baisse des déficits budgétaires : de 4,5 % en 2012 jusqu'à 3 % en 2013. Et le Président Hollande a confirmé ces engagements, repoussant seulement l'objectif d'équilibre des comptes d'une année, de 2016 à 2017. Mais ces prévisions comportent deux lacunes. D'abord, même si la France arrive à tenir ses engagements quant à la réduction des déficits d'ici 2016, le niveau d'endettement ne descendra qu'à 88 % du P.I.B., d'après les prévisions du F.M.I. – un niveau bien supérieur à celui d'avant la crise (64 %) et plus important que la limite de 60 % prévue par l'ancien Pacte de stabilité de la zone euro. Le pays aura donc arrêté l'explosion de la dette, mais sans parvenir à la ramener à un niveau soutenable sur la durée. Si la France compte réduire la dette à 80 % du P.I.B. en 2020, il faudra qu'elle obtienne un surplus primaire (c'est-à-dire un surplus budgétaire avant même de payer les intérêts de la dette) de près de 3 % chaque année dès 2016[1]. Or la France n'a pas

---

1. « French public finances », *Fitch Ratings*, novembre 2011.

atteint un surplus de cette ampleur depuis plus de trente ans !

Deuxièmement, ces projections s'appuyaient sur des prévisions de croissance économique trop optimistes. Ni l'O.C.D.E. ni la Commission européenne n'estimaient, comme François Hollande – lors de la campagne –, que le taux de croissance pourrait atteindre 1,7 % en 2013, une prévision déjà revue à la baisse. Or la dette française est particulièrement sensible aux variations du taux de croissance de son économie. Si le P.I.B. n'atteint pas le niveau de croissance prévu, ce qui est fort probable, la dette publique augmentera mécaniquement de manière considérable. Dans un scénario de faible croissance, d'absence de vraies économies ou de réformes structurelles majeures, la dette pourrait dépasser les 100 % du P.I.B. dès 2017. Cela n'est pas soutenable. La France n'aura guère d'autre choix que de tailler dans ses dépenses et de repenser son modèle social.

Pendant ce temps, ailleurs dans la zone euro…

La France a refusé pendant des décennies de faire face à ce problème de manière déterminée et honnête. Et elle a fait ce choix au moment où les autres, eux, décidaient d'agir. Regardez ailleurs en Europe.

Mais on demande déjà des sacrifices aux Français

Bien que Mariano Rajoy, le Premier ministre espagnol, peine à regagner la confiance des marchés malgré une succession de programmes d'austérité, le Portugal et l'Irlande ont tous deux mis en place des plans de redressement, surveillés par le F.M.I., qui imposent des coupes douloureuses dans les dépenses publiques et des baisses de salaires pour les fonctionnaires. En ce qui concerne l'Irlande, seul un traitement de choc a permis au gouvernement d'économiser 29,6 milliards d'euros entre 2008 et 2014, dont les deux tiers constitués de baisses des dépenses. Pendant cette même période, le gouvernement irlandais a réduit de pas moins de 9 % les effectifs de la fonction publique, y compris dans les collectivités locales, après avoir imposé à ceux qui restaient une baisse de 10 % de leurs salaires. Le gouvernement est allé jusqu'à réduire certaines prestations sociales, dont l'allocation de rentrée scolaire, qui, cette année, a été réduite de 18 % à 25 % selon les cas.

En Italie, Mario Monti, ancien commissaire européen et chef d'un gouvernement technocratique installé suite au départ peu glorieux de Silvio Berlusconi, a mis en place un plan d'austérité d'urgence équivalant à 30 milliards d'euros, avec comme objectif l'élimination du déficit budgétaire dès 2014. Au menu : des hausses d'impôts ainsi qu'une réforme profonde du système de pensions augmentant l'âge de départ à la retraite jusqu'à 66 ans en 2018, et la désindexation par rapport à l'inflation de la plupart des pensions. Il est en outre parvenu à faire passer une réforme du marché du travail qui le rendra plus flexible en facilitant les licenciements économiques. « L'immense dette publique de l'Italie, a-t-il déclaré avec une honnêteté saisissante, n'est pas la faute de l'Europe : c'est la faute des Italiens, car dans le passé nous n'avons pas fait assez attention au bien-être des jeunes et des futurs adultes. » Tout le monde, a-t-il ajouté, « va devoir partager les sacrifices ». Sa ministre du Travail, Elsa Fornero, a fondu en larmes lorsqu'elle a annoncé les sacrifices prévus dans sa réforme de la retraite.

Toute l'Europe s'est mise au redressement des comptes publics. Entre 2011 et 2012, d'après les prévisions du F.M.I., l'Italie aura réduit son déficit de 40 %, l'Espagne de 29 % et l'Allemagne de 23 %. L'effort de la France se limitera à 15 %.

… et au Royaume-Uni…

Sur le papier, ces chiffres ne parlent guère. Mais ils se traduisent sur le terrain par des politiques très douloureuses de baisse des subventions et de perte d'emplois. Il suffit de faire un saut outre-Manche pour comprendre le résultat d'un vrai plan d'austérité. Au programme de David Cameron, Premier ministre britannique, élu avec le mandat de combattre un déficit public colossal : baisse du budget des ministères de 19 % ; gel pour au moins deux ans des salaires de la fonction publique ; suppression de 700 000 postes de fonctionnaires sur cinq ans... Un rythme annuel quatre fois supérieur à celui que connaît la France avec sa politique de non-remplacement d'un fonctionnaire sur deux partant à la retraite.

Dans le seul arrondissement de Lewisham, un quartier pas très chic du sud de Londres, la mairie a mis fin aux subventions de cinq des douze bibliothèques municipales. Tout le quartier s'est indigné de ces fermetures abruptes. Dans la New Cross Library, des manifestants ont occupé les locaux pendant une nuit entière, avec pique-nique sur la moquette et lecture de livres en continu.

La manifestation n'a rien changé. Il n'y a plus d'argent. Suite à la baisse des transferts du gouvernement central, la mairie doit trouver 88 millions de livres d'économies sur quatre ans. Au plan national, quelque quatre cent cinquante bibliothèques municipales vont fermer leurs portes, malgré un grand effort de mobilisation culturelle de la part d'auteurs reconnus, tels Philip Pullman (*His Dark Materials*) ou Julia Donaldson (*The Gruffalo*). À lui seul, l'Oxfordshire County Council a annoncé la fermeture de vingt des quarante-trois bibliothèques. « C'est une sorte de perte intérieure, un assombrissement de nos perspectives, un rétrécissement de nos ambitions », a déploré Philip Pullman.

Mais le président à l'époque de l'Oxfordshire County Council, Keith Mitchell (conservateur), a bien résumé le dilemme. Dans une lettre au *Guardian*[1], il explique qu'il a été contraint d'agir car les « collectivités locales ont subi des baisses gigantesques des transferts de l'État » au nom d'un rééquilibrage des finances publiques nationales. « Demander un arrêt des fermetures de bibliothèques, c'est imposer des économies ailleurs : services d'aides-soignants pour personnes âgées, soutien scolaire ou auxiliaires pour troubles psychologiques. » Autrement dit, ce ne sont pas des choix faciles, ni agréables, mais des arbitrages malheureusement nécessaires.

Les villes tenues par la droite ne sont pas les seules à avoir adopté cette politique d'austérité. À Leeds, ville du Yorkshire tenue par la gauche et ancien centre de la production textile, la municipalité a annoncé la fermeture du East Leeds Leisure Centre, un complexe omnisports municipal, après

---

1. « Can Philanthropy Again Come to the Help of Public Libraries ? » *The Guardian*, 31 janvier 2011.

avoir perdu sa subvention de 194 000 livres par an. La ville explique elle aussi que ce choix est dicté par le besoin de trouver au moins 90 millions de livres d'économies par an, suite à la baisse des transferts de l'État. Fermetures de foyers pour les SDF et d'une piscine, fin des cours de natation pendant les horaires scolaires à la piscine municipale, perte de 1 500 postes… autant de choix douloureux qui touchent la vie quotidienne des résidents de cette ville moyenne anglaise.

Ce plan d'austérité concerne tout le monde en Grande-Bretagne. Le gel des salaires dans la fonction publique touche en grande partie les classes moyennes. Afin d'essayer de partager l'effort, d'autres politiques visent seulement les plus riches. L'allocation familiale généralisée, par exemple, sera supprimée dès 2013 et remplacée par une allocation familiale sous condition de ressources dès que l'un des parents gagne plus de 62 000 euros (£50 000) par an.

L'exemple allemand

Quant à l'Allemagne, elle a déjà fait par le passé un immense effort d'ajustement, dont elle tire aujourd'hui les bénéfices. Rappelons-nous ce qui s'est passé des deux côtés du Rhin au début des années 2000. C'est un tournant pour la France et l'Allemagne, les deux moteurs de la zone euro, partenaires dans le projet européen, qui ont commencé à prendre des chemins divergents, sous des gouvernements néanmoins tous les deux de gauche : le socialiste Lionel Jospin en France et le social-démocrate Gerhard Schröder en Allemagne. À l'époque, l'économie française était relativement compétitive. Le coût moyen de l'heure de travail dans l'industrie allemande était supérieur à celui en France de 18,6 %, d'après COE-Rexicode[1]. La part française dans les exportations européennes vers les pays hors U.E. était moindre que celle de l'Allemagne – à peu près de la moitié – mais restait satisfaisante. La croissance du P.I.B. en France était même légèrement supérieure à celle de l'Allemagne. Bref, l'économie française ne se portait pas trop mal par rapport à son grand voisin d'outre-Rhin, que l'on appelait alors – cela paraît invraisemblable aujourd'hui – l'« homme malade de l'Europe ».

Mais quels choix politiques ont faits les deux pays ? Au moment où le gouvernement socialiste de Lionel Jospin mettait en place la semaine de

---

1. « Mettre un terme à la divergence de compétitivité entre la France et l'Allemagne », COE-Rexicode, janvier 2011. En 2000, le coût horaire total moyen de la main-d'œuvre dans l'industrie manufacturière était de 24,01 euros en France et de 28,48 euros en Allemagne.

Mais on demande déjà des sacrifices aux Français

35 heures afin de réduire le temps de travail, Peter Hartz, ancien directeur des ressources humaines chez Volkswagen, concevait des réformes du marché du travail allemand destinées à inciter les Allemands à travailler plus. Entre 2003 et 2005, sous le chancelier Gerhard Schröder, social-démocrate et membre de la famille politique européenne de gauche, les lois Hartz ont introduit à la fois plus de flexibilité pour les employeurs (ce qui a d'ailleurs permis aux entreprises de garantir des emplois à temps partiel pendant la crise actuelle pour éviter les licenciements), un moindre coût pour les indemnités chômage et une politique de retour à l'emploi plus appuyée. L'emploi à temps très partiel, payé jusqu'à 400 euros par mois, a été exonéré de tout impôt ou cotisations sociales. En parallèle, une modération salariale s'imposait dans tous les secteurs.

Une des mesures phares de la réforme Hartz IV, la dernière des quatre phases de réforme du marché du travail, était la baisse de 32 à 12 mois (deux fois moins qu'en France) de la période maximale d'indemnisation du chômage (l'*Arbeitlosengeld 1*)[1]. Ces indemnités s'élèvent à 67 % du salaire avec un plafond limité à 5 600 euros brut, contre un

---

1. Bernard de Montferrand et Jean-Louis Thiérot, *France Allemagne, l'heure de vérité*, Tallandier, 2011.

maximum de 75 % du salaire brut en France avec un plafond du salaire journalier de référence nettement plus élevé, à 12 124 euros. Au bout d'un an, la plupart des chômeurs allemands arrivent en fin de droit et basculent vers le minimum d'allocation sociale, destinée aux plus modestes, connue sous le nom d'allocation « Hartz IV » : 374 euros. C'est tout. Quel que soit le revenu antérieur. De plus, ces chômeurs sont obligés de chercher activement un emploi, soutenus par un réseau de conseillers professionnels, sous peine de sanctions.

Pas surprenant que la mise en place de ces réformes ait entraîné des protestations sans précédent. Au moins 500 000 Allemands sont descendus dans la rue, un événement assez rare outre-Rhin. Hartz a été dénoncé comme le destructeur du système de protection sociale, si cher au pays, et comme l'homme qui cassait le principe même de l'assurance chômage de la période de l'après-guerre, garantissant des allocations sans contrepartie. Pour sa part, Gerhard Schröder a atteint des records d'impopularité. Le mécontentement général a favorisé la montée du parti de gauche, composé d'anciens communistes. Le résultat politique ? En 2005, Schröder a cédé sa place à Angela Merkel.

Comme l'a dit sans fard l'ancien chancelier Schröder au *Figaro* : « Les réformes sont difficiles, et leurs effets bénéfiques n'interviennent que des années plus tard. Cela crée un décalage entre la décision et son résultat. Et dans cet intervalle, la démocratie peut vous sanctionner... Nous avons décidé que les réformes étaient indispensables, au risque de perdre les élections[1]. »

Évidemment, ces choix divergents résultaient de deux impératifs historiques différents. L'Allemagne devait achever sa réunification et absorber le lourd coût de celle-ci. L'ex-Allemagne de l'Est avait un taux de chômage élevé, un grave problème de compétitivité et une démographie en berne. Les réformes de Schröder constituaient une réponse déterminée à cette situation troublante. En revanche, la démarche de la France, pendant une période de croissance, s'inscrivait dans une autre tradition, celle du progrès social développée tout au long du XXe siècle : durée légale de la journée de travail réduite à huit heures en 1919 ; deux semaines de congés payés introduites par Léon Blum en 1936, allongées à trois semaines en 1956, puis à quatre en 1969 et enfin à cinq en 1982 ; retraite à 60 ans et semaine de 39 heures sous François Mitterrand, réduite à 35 heures en 2000. Pas des privilèges à proprement parler mais autant de marques de la civilisation française, autant de signes de la mise en

---

1. Gerhard Schröder, « Les réformes de Sarkozy vont dans la bonne direction », *Le Figaro*, 22 décembre 2011.

place d'un modèle de société fidèle à d'autres valeurs que celles du marché roi et de la recherche du profit. C'est le « cortège sans fin qui marche en avant vers la lumière » de Jules Ferry. Le bonheur d'être Français.

Deux choix, deux destins. La France a choisi de renforcer les dépenses publiques qui pèsent aujourd'hui 56 % du P.I.B. ; l'Allemagne a décidé de redresser les comptes et de réduire les dépenses, qui représentent 46 % du P.I.B. Résultat ? La croissance est en panne en France. Le coût moyen de l'heure de travail dans l'industrie manufacturière en Allemagne est inférieur à celui en France de 10,8 %[1]. La part française des exportations européennes vers les pays hors U.E. n'équivaut plus qu'au tiers de celle de l'Allemagne. Et le taux de chômage reste élevé en France – près de 10 % – alors qu'il est redescendu à moins de 6 % en Allemagne. Ce niveau de chômage allemand est le plus bas depuis vingt ans !

Comme le dit la Cour des Comptes : « L'Allemagne a résolument choisi au début des années 2000 de redonner une priorité claire et constante à l'amélioration de sa compétitivité et elle récolte les fruits de cette stratégie. Qu'il s'agisse de compétitivité-coût, d'emploi, de balance commerciale ou de

---

1. COE-Rexicode, *op. cit.*

situation de ses finances publiques, le constat est celui de divergences significatives avec la France au détriment de notre pays[1]. » Voilà le résultat du vrai effort mené par les Allemands sous l'égide de Schröder. Voilà le résultat du choix des Français qui sont restés si longtemps indifférents aux déficits et à la dette, adeptes de dépenses assimilées à des progrès sociaux. Des sacrifices en France ? Les Français n'ont encore rien vu !

---

1. « Les Prélèvements fiscaux et sociaux en France et en Allemagne », Cour des Comptes, mars 2011.

2

La dépense publique élevée de la France est un choix semblable à celui de beaucoup d'autres pays européens

En tant qu'Anglaise, j'ai rapidement compris qu'il était inutile d'employer en France, pendant un débat, un exemple pris en Grande-Bretagne ou, pire, aux États-Unis. On vous rétorquera toujours que ces pays-là – avec leurs services publics *a minima* que les classes supérieures évitent à tout prix car ils sont de qualité médiocre – ne correspondent en rien au choix fait par la France et ses voisins. Imprégnés par une tradition de solidarité nationale aussi stable qu'ancienne, la France et les autres pays non anglo-saxons de l'Europe occidentale ont construit leur pacte social sur des valeurs différentes, fruits d'une longue histoire. Une dépense publique élevée n'est donc que le reflet de ce choix. Et la France ne serait pas une exception : elle ferait comme tous les autres.

Sauf que la réalité est bien différente. La dépense publique pèse plus lourd actuellement en France que dans tous les autres pays d'Europe, excepté le Danemark. Plus qu'en Allemagne, en Italie, en Suède ou en Espagne. Alors que la dépense publique des pays membres de l'O.C.D.E. représente en moyenne 42,5 % des économies nationales, la dépense publique française atteint les 56 %. En Allemagne, elle se cantonne à 46 %. Et non seulement le niveau de la dépense publique est plus élevé en France qu'ailleurs, mais il continue d'augmenter alors qu'il diminue chez les autres. Aujourd'hui, la France dépense plus d'argent public qu'il y a dix ans, alors que l'Allemagne en dépense moins. Cette extravagance, qui est indépendante de la crise, a permis au pays de construire et de maintenir un système social parmi les plus généreux de toute l'Europe. Quel bonheur d'être français !

Quelles sont ces dépenses si élevées ? Il faut regarder les chiffres de près, car tous les postes de dépenses n'ont pas augmenté en France. Sur les dix dernières années, la part du budget consacrée à la défense (3,3 %) et à la sécurité (2,4 %) est restée stable et relativement faible, d'après les chiffres les plus récents de l'O.C.D.E. En revanche, deux éléments sont particulièrement préoccupants, car la France y consacre plus d'argent que la moyenne des autres pays européens : le système de protection sociale et le poids de la fonction publique.

Chaque année, les dépenses de protection sociale représentent de loin le poste le plus important du budget du gouvernement français : près de quatre fois plus que l'éducation, et plus de dix fois plus que la défense. Ce qui n'est pas exceptionnel en soi, car la protection sociale, qui couvre les retraites, le chômage, les prestations familiales, la santé et les allocations sociales contre la pauvreté, consomme aussi la plus grande partie des budgets dans la plupart des pays de l'O.C.D.E. Et, comme ailleurs, parmi les dépenses des administrations de sécurité sociale, celles liées à la retraite représentent la plus grande part, 47 % du total en France, devant la santé (37 %), et loin devant les autres risques.

Le point sur lequel la France se distingue, en revanche, c'est la taille de cette part – 30 % du P.I.B. en 2012 – occupée par les dépenses de protection sociale[1]. Aucun autre pays membre de

---

1. La plupart des chiffres dans ce chapitre sont issus de la base de données des dépenses sociales de l'O.C.D.E. : indicateurs sur les dépenses sociales 1980-2012.

l'O.C.D.E. n'y consacre autant d'argent. La protection sociale ne représente en moyenne que 22 % du P.I.B., soit 8 points de moins. Au Royaume-Uni, c'est 23 %, en Allemagne, 26 %, et en Suède, pays pourtant doté d'un système social généreux, 27 %.

Plus troublant, en France, le poids de la dépense sociale a augmenté plus rapidement que dans la moyenne des pays de l'O.C.D.E., y compris en Allemagne. En 1980, cette dépense ne représentait que 21 % du P.I.B., au lieu des 30 % d'aujourd'hui. Depuis 2000, période pendant laquelle les Allemands ont mis en place des réformes difficiles mais nécessaires pour limiter la dépense publique, le poids de la protection sociale dans le budget global a baissé en Allemagne... tandis qu'il augmentait en France, même en période de croissance économique relativement forte. La conséquence pour les comptes de la Sécurité sociale française est lamentable. À la fin des années 1980, les comptes étaient en équilibre ; mais depuis plus de vingt ans, les déficits s'accumulent, avec une détérioration marquée à partir de 2003. En 2010, le déficit de la Sécurité sociale a atteint un niveau sans précédent (29,8 milliards d'euros) et la dette sociale s'est élevée à 136 milliards d'euros.

Mais quel bonheur de vivre en France avec un système aussi généreux !

La dépense publique élevée de la France

Les Français sont gâtés tout au long de leur vie. Avant même de naître, un enfant bénéficie en France d'un système hors du commun. La prime à la naissance, qui s'élève à 912,12 euros, est versée lors du septième mois de grossesse à tous ceux dont le revenu annuel net ne dépasse pas, pour un couple avec un seul revenu, 34 103 euros (ou 49 109 euros pour la naissance du troisième enfant). Le suivi d'une grossesse et d'une naissance en France est rigoureux et généreux. Rien de surprenant dans un pays qui dépense plus pour la santé que presque tous les autres grands pays industrialisés : au total 7,5 % du P.I.B., comparé à une moyenne des pays de l'O.C.D.E. de 5,8 %. Pour s'en convaincre, il suffit de voir le nombre de Français qui résident à Londres mais qui retraversent la Manche dès qu'ils ont besoin de soins ! Pour les femmes enceintes, mieux vaut accoucher en France, où la durée moyenne de séjour en maternité est de 4,3 jours[1]. En Allemagne, on se contente de trois jours, en Suède de deux jours, en Angleterre de 1,8 jour !

Dès la petite enfance, les bouts de chou français sont pris en charge. Les Français se plaignent de la pénurie de places dans les crèches, mais ils sont gâtés par rapport aux autres pays : 42 % des

---

1. OECD Health Data 2011.

tout-petits de deux ans ou moins sont inscrits aux services de garde publics, contre 18 % en Allemagne et la moyenne des pays de l'O.C.D.E. de 30 %[1]. La générosité de cette organisation en France, qui représente un atout pour la compétitivité en permettant aux parents de travailler davantage, peut se mesurer au taux de participation des parents. Prenez le cas d'une crèche municipale. En France, d'après une étude menée en 2009, une famille paie en moyenne 269 euros par mois pour laisser son bébé à la crèche à plein temps – et cette somme est ramenée à 183 euros en moyenne après déductions et allocations. Cela représente 1,10 euro par heure ! Même les familles aisées ne paient plus que 298 euros en moyenne par mois, d'après cette étude, après déductions et allocations[2].

Quel bonheur d'être un enfant français ! À la crèche, ils sont pris en charge dès l'âge de deux mois par des personnes qualifiées. Le service est souvent ouvert tôt le matin et jusqu'au soir, permettant aux parents de travailler à plein temps en toute tranquillité. En Allemagne, en dépit d'un plan d'urgence de développement des places de crèches avec, comme horizon, 2013, la très grande

---

1. OECD Family Database 2011.
2. Nathalie Blanpain, « Les Dépenses pour la garde des jeunes enfants », Direction de la recherche, des études, de l'évaluation et des statistiques (DREES), juin 2009.

majorité des parents doivent se débrouiller pour faire garder leurs petits. En France, pendant leurs journées à la crèche, les bambins français bénéficient souvent d'un repas complet. À Issy-les-Moulineaux, pour ne prendre qu'un seul exemple, voici un menu type : concombre-vinaigrette comme hors-d'œuvre, suivi d'une cuisse de poulet rôti avec ratatouille ; Coulommiers, et pour le dessert, des pommes au four. Ces enfants ont pour la plupart moins de deux ans.

De la maternelle jusqu'à la fac

La générosité des services français pour les enfants en bas âge ne se limite pas à la crèche. Parmi tous les pays de l'O.C.D.E., la France dispose du plus haut taux d'inscription en maternelle pour les enfants âgés de trois à cinq ans : 100 %, comparé à une moyenne de 77 %. Et les parents bénéficient de la garderie municipale, avant et après les horaires de l'école, afin de leur permettre de travailler une journée entière – une option qui n'existe pas pour les parents allemands, contraints de venir chercher leurs enfants dès la fin des cours, en général à 13 heures.

La France se trouve également en haut du palmarès en ce qui concerne les prestations familiales,

les plus généreuses de tous les pays membres de l'O.C.D.E., y compris la Suède et l'Allemagne. L'ensemble de ces prestations coûtent 50 milliards d'euros par an. Et certaines ne sont soumises à aucune condition de ressources, contrairement à ce qui se prépare dès 2013 en Angleterre : même des familles aisées, qui n'en ont pas besoin, reçoivent ces aides (qui ne sont pas taxées). Ce sont non seulement les allocations familiales de base (127 euros par mois pour deux enfants) mais aussi d'autres aides disponibles au nom de la politique familiale : l'allocation forfaitaire pour un enfant âgé de vingt ans demeurant à charge (80 euros par mois), ou le complément de libre choix d'activité pour un parent qui cesse son activité professionnelle pour élever son enfant (384 euros par mois, ou 809 euros pour au moins trois enfants à charge). Ou bien la carte famille nombreuse, invention bien française, avec ses réductions sur les voyages en train sans condition de ressources. Bruno Le Maire, ancien ministre de l'Agriculture, l'a reconnu : « Je suis ministre, père de quatre enfants ; est-il juste que je touche près de 5 000 euros d'allocations familiales par an[1] ? »

Un enfant français bénéficie ensuite du système de santé gratuit, de l'école gratuite et de

---

1. « Juppé jouera un rôle de premier ordre », interview avec Bruno Le Maire, *Journal du Dimanche*, 1er octobre 2011.

l'université gratuite. Ce dernier point est extraordinaire. C'est un vrai luxe. Mieux vaut rester en France que d'envoyer ses enfants à l'université en Angleterre, où le triplement des frais de scolarité de l'université publique pèse lourdement sur les classes moyennes anglaises. Progressivement, au cours des vingt-cinq dernières années, les frais de scolarité à l'université ont augmenté en Angleterre. En cette rentrée 2012, pour la première fois, ils ont atteint la somme de 10 900 euros (£9 000) par étudiant et par an. Ce sont des sommes colossales qui risquent de décourager les étudiants des familles les plus modestes, même si un diplômé ne rembourse les emprunts contractés que s'il gagne un salaire décent. Quitter l'université avec une lourde dette d'au moins 32 700 euros (£27 000) est devenu l'amère réalité de la jeunesse anglaise.

En Allemagne, les frais s'élèvent à quelque 1 000 euros par an ; au Pays-Bas, à 1 770 euros. Et en France, l'université reste gratuite, moyennant des frais d'inscription de 177 euros pour une licence – moins que le prix d'un iPhone.

Aucun gouvernement français n'est allé jusqu'à proposer l'introduction des frais de scolarité à l'université publique. Lorsqu'un think-tank de gauche, Terra Nova, a évoqué l'année dernière l'hypothèse d'un triplement des frais d'inscription[1] – ce qui représenterait environ 500 euros par an seulement – toute la classe politique a crié au scandale. Et pourtant, ce sont les universités françaises qui sont le plus souvent en grève, bloquées à la moindre proposition de réforme. Quel bonheur d'être français ! L'université ouverte à tous, sans sélection à l'entrée ni concours et gratuite.

Vivre sans emploi

Quant au marché du travail, les Français sont encore une fois des privilégiés. Si par malheur on perd son emploi en France, les allocations de chômage sont parmi les plus généreuses des grands pays européens : en durée d'indemnisation (36 mois), en taux d'indemnisation (75 % du salaire) et en plafond d'allocations (fixé à près de 6 000 euros par mois). Sans compter l'indemnité légale de licenciement, qui est exonérée d'impôt sur le revenu et de cotisations sociales. À titre de comparaison, au Danemark, pays de la « flexicurité » tant vantée en France, le taux d'indemnisation s'élève à 90 % et

1. Yves Lichtenberger et Alexandre Aïdara, « Faire réussir nos étudiants, faire progresser la France : Propositions pour un sursaut vers la société de la connaissance », *Terra Nova*, 2012.

pourtant un chômeur ne peut toucher plus de 2 145 euros par mois. En Angleterre, l'allocation de chômage s'élève à seulement 380 euros par mois, que l'on ait travaillé comme postier ou comme banquier. Tout le monde est logé à la même enseigne, sans considération du dernier salaire ou du nombre d'années de travail !

Les personnes aisées en profitent royalement. Laure, mère de trois enfants habitant la région parisienne, a été licenciée par la banque d'investissements dans laquelle elle travaillait comme analyste crédit senior. Elle touche donc le maximum d'allocations de chômage, qui est autour de 6 000 euros par mois. C'est presque quatre fois le salaire moyen net en France. Ou Maxime, chômeur depuis près de deux ans, profitant de ses 6 000 euros mensuels pour visiter le Brésil, la Californie et ensuite les plages de la côte atlantique afin d'améliorer sa technique en surf. Rien à voir avec Stephen, un expert immobilier anglais qui travaille depuis dix-sept ans pour la même entreprise à Londres. Marié, avec deux enfants en bas âge, il est licencié cette année par son employeur pour des raisons économiques. Sa femme, n'ayant pas accès à une crèche publique (elles n'existent pas en Angleterre), ne travaille pas. Malgré son ancienneté, Stephen ne touche que 380 euros par mois d'allocations, comme tous les autres chômeurs anglais. Avec le salaire qu'il gagnait, son homologue français, comme Laure et Maxime, aurait eu droit au maximum, soit presque seize fois plus. Cette allocation est d'ailleurs bien supérieure aux 4 000 euros à partir desquels on est « riche » selon François Hollande !

Non seulement le chômeur français reçoit des allocations plus élevées qu'ailleurs, mais en fonction de ses ressources, il peut aussi toucher tout un éventail d'aides supplémentaires. À savoir : la couverture maladie universelle (CMU) ; l'exonération de taxe d'habitation et de redevance télévision, ainsi que des aides pour la cantine scolaire et les frais de crèche ; la prime de Noël ; l'allocation de rentrée scolaire ; les aides pour les transports en commun et des tarifs réduits pour les activités périscolaires et sportives. Pour ne pas parler du revenu de solidarité active (RSA). La liste n'est pas exhaustive. Toutes prestations confondues, la Cour des Comptes en dénombre 1 300. On se perd tellement dans ce système que les journaux font des articles pour guider les Français : « À quelles primes avez-vous droit ? », demande une revue familiale.

Soyons clairs : mis à part les cadres, ce système d'allocations si généreux par rapport aux autres pays ne fournit à ses bénéficiaires qu'un niveau de vie de base. Salima, quarante ans, mère de quatre enfants, habitant Clichy-la-Garenne, en banlieue parisienne, a dévoilé son budget au site d'informations Rue89[1]. Assistante comptable, elle gagnait le SMIC (1 096,94 euros nets par mois). En congé parental depuis la naissance de son quatrième enfant, aujourd'hui âgé de dix-huit mois, elle vit actuellement des prestations publiques : 1 342 euros par mois. Soit 550 euros d'allocations familiales (elle n'a pas le droit au complément d'allocation parent isolé, car il est réservé aux parents qui ne travaillent pas) ; 370 euros pour le complément de libre choix d'activité ; 352 euros d'allocation logement et 69,90 euros de RSA complément d'activité. Elle dispose aussi d'un pass Navigo (transports publics) gratuit.

Vivre des prestations publiques impose des économies dans la vie quotidienne et des fins de mois difficiles. Mais en comparant avec les autres systèmes, on se rend compte de la générosité relative du système français.

Le moment de vrai bonheur pour la plupart des Français, c'est la retraite. En moyenne, les Français partent plus tôt que les autres : 58,7 ans pour les hommes et 59,5 pour les femmes, contre 63,5 et 62,3 ans dans les autres pays de l'O.C.D.E.[2]. Les

---

1. Aurélie Abadie, « Salima, 40 ans, 1 342 euros par mois pour quatre enfants », rue89, 17 avril 2012.

2. « Les Retraites en France et à l'étranger : 7 indicateurs clés », O.C.D.E.

Français sont ceux qui vivent le plus d'années à la retraite : 28 ans pour les femmes, 25 ans pour les hommes. Un Allemand aura droit à 20 ans en moyenne, soit cinq ans de moins ! Non seulement le Français profite de cette longue période de retraite, mais les transferts publics lui procurent jusqu'à 85 % de ses revenus. Plus que dans tous les autres grands pays européens, y compris l'Allemagne et la Suède, où les transferts publics pèsent respectivement 73 % et 69 %. Sans parler de la Grande-Bretagne, où ils ne représentent que 49 %.

En dépit de la réforme de la retraite du gouvernement de François Fillon, qui est partiellement mise en cause aujourd'hui par un retour à la retraite à 60 ans pour ceux qui ont commencé à travailler jeunes, les Français n'ont pas subi les réformes drastiques décidées par les autres pays. Des réformes qui repoussent parfois la retraite jusqu'à l'âge minimum de 67 ans. La conséquence, c'est que les cheveux gris sont rares au travail en France, et ce malgré une espérance de vie de plus en plus longue. Parmi les pays de la zone euro, la France est celui qui a le taux d'emploi des 55-64 ans le plus bas. Seulement 40 % de cette catégorie d'âge travaillent[1] ! C'est très peu. En Allemagne, ils sont

---

1. « Active Ageing and Solidarity Between Generations – A Statistical Portrait of the European Union 2012 », Eurostat.

58 % ; en Suède, 71 %. Dans cette tranche d'âge, qui est celle du Président actuel, de son prédécesseur, ainsi que de nombreux députés, trois Français sur cinq ne travaillent plus. Passé 60 ans, les Français sont partis : seuls 18 % travaillent, contre 41 % des Allemands et pas moins de 61 % des Suédois !

La gestion du paradis français

La France n'est pas un pays européen comme les autres. Elle est bien une exception. Elle s'est dotée d'un système plus généreux qu'ailleurs et elle l'a financé à crédit. Pour administrer ce modèle complexe, le pays a construit un secteur public hors du commun. Car le deuxième élément insoutenable dans les dépenses publiques françaises concerne le poids du secteur public. La France a cumulé les inconvénients d'un niveau de prélèvements obligatoires proche des pays scandinaves pour soutenir sa fonction publique sans connaître les avantages de ces pays en matière de résultats.

Les emplois publics, de l'État, des collectivités locales, de l'hôpital, de l'école, de la poste et de tous les autres services et agences, représentent 22 % de tous les emplois en France : plus d'un employé sur cinq. Ce chiffre n'atteint pas le niveau de la Suède (26 %) mais il est bien supérieur à la moyenne (situé à 15 %) des pays de l'O.C.D.E.[1]. Avec 90 effectifs pour 1 000 habitants, la France dispose de plus d'employés publics que la Grande-Bretagne, la Belgique, l'Espagne, l'Italie, les Pays-Bas, la Grèce et l'Allemagne[2].

Non seulement la France entretient une fonction publique ample, mais celle-ci est perpétuellement en train de grandir. En France, les effectifs dans la fonction publique à tous les niveaux d'administration ont augmenté d'un million depuis 1990, pour atteindre les 5,2 millions de personnes. Dans les seules collectivités locales, il y a eu une hausse de près de 50 % ! Une folie. Alors que Nicolas Sarkozy a vanté sa politique de non-remplacement d'un fonctionnaire sur deux partant à la retraite, les collectivités locales ont pourtant continué de gonfler leurs effectifs sous son mandat. Pour la seule année 2008, les effectifs ont augmenté de 15 % dans les départements et de 35 % dans les régions.

Mais le plus saisissant est le contraste avec l'Allemagne. Car l'emploi public outre-Rhin ne concerne que 10 % du total, moitié moins qu'en France, pourtant pour une population supérieure. Traduit

---

1. « Government at a Glance », O.C.D.E., 2011.
2. Amélie Barbier-Gauchard, Annick Guilloux et Marie-Françoise Le Guilly, « Tableau de bord de l'emploi public, situation de la France et comparaisons internationales », Centre d'analyse stratégique, décembre 2010.

en agents publics par habitant, la France en a 90 pour 1 000 habitants l'Allemagne, seulement 50 ! C'est démesuré ! L'Allemagne a pourtant un secteur public fort et plusieurs niveaux de gouvernement (les Länder). On ne peut pas dire que ce soit un pays mal géré ou sous-administré. Tout simplement, les Allemands font mieux avec moins.

De plus, depuis 1990, l'Allemagne a pris la décision de réduire le nombre de postes dans la fonction publique, alors que la France a fait l'inverse. Alors que la Banque de France dispose de 13 000 postes, la très puissante Bundesbank allemande se contente de 9 560 employés, et elle a réduit ses effectifs de façon drastique cette dernière décennie. Depuis 1998, l'année de la création de la Banque centrale européenne, la Bundesbank a diminué ses effectifs d'un tiers. Cela fait partie d'une politique stratégique d'adaptation aux besoins de la banque au sein de la zone euro suite à la création de la monnaie unique. Quant à la Banque d'Angleterre, qui gère, elle, la politique monétaire du pays, elle ne compte que 1 800 postes.

Pas difficile de trouver d'autres exemples de cette suradministration française. Écoutez la Cour des Comptes, qui constate que « l'effectif du ministère de l'Agriculture n'a suivi ni la décroissance sensible du nombre des agriculteurs (la population active agricole est passée de 1,9 million en 1980 à

0,9 million en 2005) ni la diminution de la part du secteur agro-alimentaire dans l'économie (2 % du P.I.B. en 2005 contre 4,2 % en 1980). Il s'est au contraire accru de 6,5 % si on prend en compte les emplois budgétaires du seul ministère, et il a doublé si on intègre dans le calcul les agents des opérateurs du secteur agricole[1]. » Ou considérez l'agence Méteo France, qui emploie aujourd'hui 3 500 personnes, tandis que le Met Office britannique fait le même travail avec 1 800 personnes.

Aujourd'hui, la masse salariale de toutes les administrations publiques représente pas moins de 70 % de leurs dépenses de fonctionnement[2]. Pour reprendre les propos de la Cour des Comptes : « Seule une baisse des effectifs est de nature à produire des marges de manœuvre durables en matière salariale. »

La folie des grandeurs

L'ampleur de la fonction publique, et de la dépense publique élevée qui va de pair, est inscrite dans le paysage du pays. Les plus beaux villages et

---

1. « Les effectifs de l'État 1980-2008 : Un état des lieux », Cour des Comptes, décembre 2009.
2. Cour des Comptes, *op cit.*

les grandes villes historiques sont témoins des largesses d'un secteur public, qui n'en a pourtant plus les moyens. Ce sont les centres administratifs modernes qui dominent les villes (147 millions d'euros pour le nouvel hôtel de la Région Rhône-Alpes à Lyon, un magnifique édifice avec des façades en terre cuite et de grandes baies vitrées), mais aussi les installations dans la France profonde. Ce sont les médiathèques (6 millions d'euros pour celle qui se construit à Montauban, une ville de seulement 58 000 habitants) et les théâtres municipaux flambant neufs. Ou bien les installations sportives publiques haut de gamme qui se construisent : un grand stade, un vélodrome couvert et une piscine olympique pour la seule agglomération de Lille-Roubaix-Tourcoing ! Comment se fait-il qu'une métropole d'un peu plus d'un million de personnes ait besoin de construire trois nouvelles installations magnifiques en même temps ? Au moment de l'ouverture de la piscine olympique de Tourcoing, prévue en 2015, l'ensemble formera le plus grand complexe nautique sportif au nord de Paris.

Au nom du prestige, et aux frais des contribuables, le paysage français a été transformé ces vingt dernières années par des constructions pharaoniques. En circulant en France, on en aperçoit un peu partout. Elles sont parfois magnifiques : des temples érigés à la gloire du modèle français. Ainsi la maison du Conseil régional d'Alsace à Strasbourg, inaugurée en 2005 pour un coût de 33 millions d'euros. Construite sur cinq niveaux, avec une façade en bois et verre, elle abrite sous une vaste ombrière qui laisse pénétrer la lumière non seulement l'hémicycle mais aussi sa propre salle de projection, un amphithéâtre, un restaurant et une cafétéria pour le personnel.

La campagne française a été marquée jusque dans les recoins les plus isolés par toutes ces constructions. Sous prétexte de sécurité routière, les ronds-points avec sens giratoire se sont multipliés jusqu'au milieu des champs, comme celui, redondant et perdu, photographié par Raymond Depardon. D'après certaines estimations, il y aurait quelque 30 000 ronds-points aujourd'hui en France – plus qu'en Grande-Bretagne. Tous les ans, les villes et villages sont embellis par des plantations de fleurs ravissantes, récompensées par des prix remis par des ministres. À Beauvais, ville picarde de 55 000 habitants, pas moins de 130 jardiniers sont employés par la mairie (UMP) pour entretenir les plates-bandes. Elles sont ravissantes. Quel bonheur d'être Français !

Les Français ne sont pas des Européens comme les autres : ils sont les derniers enfants gâtés du continent. Grâce à une dépense publique plus élevée qu'ailleurs, ils ont un système de protection sociale et un style de vie, subventionnés par le secteur public, plus généreux qu'ailleurs. C'est magnifique. Mais ce n'est pas soutenable, car la France s'offre un système suédois avec des finances publiques plus proches de celles de l'Espagne. Quelle que soit l'issue de la crise dans la zone euro, l'Europe va connaître une longue période de croissance très molle, y compris en France. Le pays n'a pas les moyens de reporter sans cesse les choix difficiles. Le pays ne peut pas se payer tous ces luxes à perpétuité. Il faut réinventer le modèle social.

3

Le système français est efficace et il garantit un niveau de vie plus élevé qu'ailleurs

Dotée d'un patrimoine remarquable et de superbes paysages, la France continue d'enchanter les étrangers. Autant les touristes que les investisseurs. En 2010, la France a été la quatrième destination pour les investissements directs étrangers effectués dans le monde, derrière les États-Unis, la Chine et Hong Kong[1]. En 2010, elle a attiré à elle seule plus de 50 milliards d'euros. Les investisseurs sont séduits autant par ce marché de plus de 65 millions de personnes que par ses infrastructures

---

1. « Foreign Direct Investment », *The Economist*, 20 janvier 2011.

modernes et efficaces : autoroutes, T.G.V. et hôpitaux. Sans oublier que la France propose en outre
un art de vivre séduisant.

La défense la plus convaincante du maintien
d'un État fort et d'une dépense élevée en France
repose sur l'idée que c'est un choix que les Français
font en toute connaissance de cause : payer plus
d'impôts pour recevoir plus de services publics. La
France n'est pas Singapour, ni les États-Unis. Le
pays, issu d'une tradition de monarchie absolue et
de jacobinisme, renforcée par le dirigisme d'après-
guerre, se paie un État fort et visionnaire, capable
de développer l'économie, d'offrir des services
publics de qualité et de garantir la solidarité. Grâce
à un niveau élevé de dépense publique, même les
Français les plus aisés n'ont pas besoin de payer à
titre personnel certains services qui sont fournis par
le secteur privé dans d'autres pays, comme l'université aux États-Unis ou l'école en Angleterre. Par
conséquent, les Français ne comprennent pas pourquoi ils auraient intérêt à limiter la dépense
publique, à affaiblir cet État fort.

En suivant cette logique, il faut donc juger de
l'efficacité de la dépense publique en fonction des
attentes qui sont celles des Français envers leur
propre système. Ce modèle a-t-il réellement permis
davantage de prospérité, d'efficacité et de solidarité ?

Le système français est efficace

Les vertus du modèle français

Par le passé, cette vaste et dispendieuse machine administrative a plutôt bien servi le pays, développant pendant les Trente Glorieuses une économie industrielle, faisant aujourd'hui de la France la cinquième puissance économique mondiale. L'investissement dans l'avenir – du T.G.V. à l'industrie nucléaire – a été l'une des marques de fabrique d'un État à la fois gestionnaire et visionnaire. Dans presque tous les secteurs, de l'automobile à la haute couture et jusqu'à l'assurance, la France possède des leaders mondiaux. Elle a plus d'entreprises dans le classement « Fortune 500 » que n'importe quel autre pays européen.

Dans le même temps, ce modèle a permis aux Français de bénéficier d'une remarquable amélioration de leur niveau de vie. De 1950 à 2010, l'espérance de vie est passée de 63 ans à 78 ans pour un Français et de 69 ans à 85 ans pour une Française. En 1950, 5 % des enfants mouraient avant l'âge d'un an ; en 2000, ce pourcentage n'était plus que de 0,4 %, grâce aux progrès en matière de santé, d'hygiène et de régime alimentaire. Les ménages français disposent presque tous aujourd'hui d'un réfrigérateur, d'un téléviseur et d'un lave-linge. En 2011, il y avait en France 68,6 millions d'abonnements pour des téléphones mobiles – pour une population de 65 millions ! Aujourd'hui, les Français ont une qualité de vie qui fait envie.

Mais comment se comporte la France par rapport aux autres ?

Si on regarde le P.I.B. par habitant, l'indicateur qui représente le mieux la richesse relative des pays, la France ne fait ni mieux ni moins bien que ses pairs européens. En 2010, en parité de pouvoir d'achat, le P.I.B. par tête en France a été légèrement inférieur à la moyenne de la zone euro. L'Italie fait moins bien. L'Allemagne fait mieux. Et la Suède, qui n'est pas membre de la zone euro, fait mieux encore. Plus inquiétant, la France a perdu son rang. En 1995, les Français étaient plus riches que la moyenne des dix-sept pays actuellement membres de la zone euro.

Jusqu'au milieu des années 1970, avant le choc sur les prix de l'énergie, l'économie française s'est bien portée, avec une croissance annuelle du P.I.B. de 3,3 % en moyenne. Depuis, la France, comme tous les pays industrialisés, a connu un ralentissement de son taux de croissance à chaque décennie. Mais, conséquence de la réunification et de la politique menée pour restaurer la compétitivité, le taux de croissance en Allemagne est resté inférieur à celui de la France jusqu'en 2005. Si l'Allemagne a été plus touchée que la France par la crise en 2009, la sortie de crise est beaucoup plus rapide en Allemagne, qui connaît une croissance nettement supérieure à celle de la France depuis 2010.

Natalité, santé, égalité

Si l'on entre dans le détail de la qualité de vie, la France affiche quelques résultats particulièrement bons. Trois indicateurs sont remarquables. Le premier concerne le taux de natalité, qui est parmi les plus élevés d'Europe. Avec un taux de 2 enfants par femme, qui est plus élevé que dans tous les autres pays européens sauf l'Irlande, les Françaises sont des mères enthousiastes. Depuis 1985, la population de la France a dépassé celle du Royaume-Uni et de l'Italie. Ceci est un véritable atout pour le pays, et le fruit d'une forte politique de la famille, notamment par le système de crèches et d'écoles maternelles. C'est particulièrement vrai si on compare le pays à l'Allemagne. D'après certaines estimations, la population française pourrait dépasser celle de l'Allemagne vers 2037. Cela constituerait une première depuis 1850, avant l'ère Bismarck !

Deuxièmement, le système de soins assure aux Français un niveau de santé globalement élevé et reconnu comme tel. L'espérance de vie pour un Français, hommes et femmes confondus, est de plus de 81 ans, soit un an et demi de plus que la moyenne des pays membres de l'O.C.D.E.[1]. Pour ne prendre que deux autres indicateurs, les Français sont moins obèses que la moyenne dans les pays membres de l'O.C.D.E. et ils ont le taux de mortalité liée à des incidents cardiovasculaires le plus bas de toute l'Europe. L'art de vivre français possède bien des atouts en matière de régime alimentaire. De plus, l'accès aux soins en France ne cesse d'étonner les étrangers (au moins les anglais), habitués à des délais interminables, même pour des consultations banales. Il ne faut pas oublier pourtant que ces résultats ont un prix. Les Français dépensent plus pour la santé que tous les autres pays européens sauf les Pays-Bas, et ce sont des budgets qui vont méca-niquement augmenter du fait du vieillissement de la population et de l'innovation technique dans le monde de la médecine.

Enfin, la France est l'un des pays occidentaux connaissant le moins d'inégalités. Cela peut paraître surprenant, car les hommes politiques en campagne préfèrent souligner l'inverse afin de mobiliser leurs électorats. En réalité, l'écart entre les 10 % les plus riches et les 10 % les plus pauvres – après transferts sociaux et taxes – est resté stable sur dix ans, d'après

---

1. Toutes les données concernant la santé sont issues de « Health at a Glance », O.C.D.E., 2011.

recrutement du personnel comptent davantage que le nombre d'euros dépensés par tête.

Trop peu de ces jeunes qui sortent de l'école sans diplôme en France trouvent ensuite un emploi. Voici une deuxième défaillance du modèle français. Le taux d'emploi est inférieur de 7 points à celui de l'Allemagne et de 9 points à celui de la Suède. Trop de jeunes et trop de seniors ne travaillent pas par rapport à d'autres pays. Ceux qui sont au chômage, 10 %, sont plus nombreux en France que la moyenne des pays de l'O.C.D.E. Cette tendance ne date pas de la crise actuelle. Depuis plus de vingt ans, le taux de chômage en France n'est tombé sous la barre des 8 % qu'une seule fois. C'est un immense gâchis ! La France tient beaucoup à la solidarité nationale. Mais le chômage est la première source d'injustice sociale.

Ceux qui sont les plus touchés par ce phénomène sont les Français issus de l'immigration. D'après un ensemble de mesures portant sur l'intégration, la France ne se porte pas bien. Les Français issus de l'immigration sont plus souvent au chômage, moins diplômés et moins bien payés (à emploi égal) que des Français n'ayant pas de parent ou de grand-parent d'origine étrangère[1]. Difficile de faire des comparaisons, car il est illégal en France de

1. R. Aeberhardt, D. Fougère, J. Pouget et R. Rathelot, « Wages and Employment of French Workers with African Origin », CREST – IN-

demander l'origine ethnique des sondés, chose permise aux États-Unis et au Royaume-Uni. Mais certaines études ont utilisé d'autres mesures – noms, prénoms, lieu de naissance des grands-parents – afin d'établir des statistiques ethniques approximatives. En France, d'après une étude faite par le sociologue Eric Keslassy pour l'Institut Montaigne[1], l'Assemblée nationale sortante ne comptait que trois députés « non-blancs » (à part ceux d'Outre-Mer) contre sept en Allemagne et quinze en Grande-Bretagne. En France, le taux de pauvreté des enfants dont les deux parents sont nés à l'étranger est presque trois fois plus élevé que pour les enfants dont les deux parents sont nés en France ; en Allemagne, l'écart n'est que de deux fois[2]. Malgré les milliards dépensés dans la rénovation des habitations et des quartiers défavorisés, ceux qui habitent dans les cités de la banlieue française sont trop souvent les oubliés de la République.

SEE, 2007 ; « Génération 2004 : enquêtes 2007, 2009 », Centre d'études et de recherches sur les qualifications.

1. Eric Keslassy, « Ouvrir la politique à la diversité », Institut Montaigne, janvier 2009.

2. « Child poverty and child well-being in the European Union », *TÁRKI Social Research Institute*, janvier 2010.

Le système français est efficace

Un rapport qualité-prix contestable

Le moins que l'on puisse dire, c'est que le vaste secteur public français, qui fonctionne en théorie, affiche un résultat en pratique mitigé : parfois mieux, parfois pire que ses pairs. En dépit de l'incontestable performance de certains aspects, des faiblesses importantes demeurent. Comme le dit un rapport de l'O.C.D.E. cette année sur la réforme de l'État en France, « la pérennité du système français est remise en cause par des indicateurs économiques dégradés et les indicateurs sociaux montrant des signes de faiblesse[1] ». Les instituts de l'extérieur ne sont pas les seuls à parvenir à cette conclusion. En présentant son audit du mois de juillet 2012, Didier Migaud lui-même a déclaré : « Pour la santé, l'éducation, la formation professionnelle, par exemple, la France dépense bien plus que des pays dont les résultats, dans ces domaines, sont pourtant sensiblement meilleurs que les nôtres[2]. » Est-ce un système au moins efficace sur le plan opérationnel ? Est-ce que l'administration publique française fonctionne bien par rapport à la

---

1. « Examens de l'O.C.D.E. sur la gouvernance publique : France, une perspective internationale sur la révision générale des politiques publiques », O.C.D.E., 2012.

2. « Il faut trouver de l'ordre de 33 milliards d'euros pour 2013 », interview avec *Le Monde*, 2 juillet 2012.

dépense qu'elle représente ? Est-ce que l'administration française fonctionne mieux grâce à ses agents publics deux fois plus nombreux par habitant que l'Allemagne ? Pas si sûr.

Les étrangers sont émerveillés, à juste titre, par l'efficacité des T.G.V., par la collecte fiable des ordures ménagères et les services de propreté urbaine, ou même par l'organisation expéditive, chaque année, du baccalauréat, notamment la rapidité avec laquelle les correcteurs notent les copies des quelque 620 000 candidats. Le même exercice prend de longues semaines en Angleterre. Mais faire face à la bureaucratie française en ce qui concerne la paperasse (permis de conduire, passeport, carte grise, Urssaf) constitue un véritable marathon. La qualité de service n'est pas toujours garantie.

Fondée sur l'acheminement des dépêches de la couronne au XVe siècle, la Poste, par exemple, est devenue le deuxième employeur du pays après l'État. La France dispose de plus de bureaux de poste par habitant que l'Allemagne ; mais le nombre de lettres arrivant dès le lendemain (85 %) est pourtant moins élevé qu'en Allemagne (96 %)[1]. La qualité du service fourni par les organismes de

---

1. « La Poste : un service public face à un défi sans précédent, une mutation nécessaire », Cour des Comptes, juillet 2010.

la Sécurité sociale – l'administration française qui représente la dépense publique la plus importante – s'est détériorée entre 2007 et 2010, d'après ses propres chiffres. Par exemple, alors que le nombre de visites aux Caisses d'allocations familiales a légèrement décliné, le pourcentage de personnes reçues dans un délai d'attente inférieur à vingt minutes est tombé, lui, de 92 % à 86 %[1].

À l'inefficacité il faut ajouter une faible maîtrise des coûts, ou des insuffisances et incohérences d'organisation et de gestion. D'après la Cour des Comptes[2], qui effectue un travail remarquable, pour les 35 plus importants chantiers culturels achevés ou en cours entre 2007 et 2011, représentant un montant total de l'ordre de 1,9 milliard d'euros, il y a eu un dépassement moyen des coûts de 25 %, ainsi que des retards supérieurs à trente mois en moyenne. La Cour relève que, depuis 2005, à la Banque de France, non seulement les augmentations de salaires ont été plus élevées que celles de la fonction publique, mais les dépenses d'activités sociales et culturelles représentent encore 11,5 % de la masse salariale ! En 2010, le déficit du régime des intermittents du spectacle représentait à lui seul pas

---

1. « Chiffres clés de la Sécurité sociale 2010 », Direction de la Sécurité sociale, édition 2011.
2. Rapport public annuel 2012 de la Cour des Comptes.

moins du tiers du déficit total de l'assurance chômage... alors que les intermittents du spectacle –
les 106 600 artistes et techniciens – ne constituent
que 3 % des demandeurs d'emploi. La Cour pointe
aussi du doigt la fraude à la T.V.A. sur les quotas
de carbone entre 2008 et 2009, entraînant une perte
fiscale de l'État de 1,6 milliard d'euros, qui est « sans
doute à ce jour parmi les plus élevées jamais iden-
tifiées par l'administration fiscale ».

En matière de santé, les Français sont des champions de la consommation de produits pharmaceutiques, y compris les calmants et antidépresseurs.
La France est au deuxième rang des pays européens
consommateurs d'anxiolytiques (après le Portugal)
et d'hypnotiques (après la Suède). En 2010, les
Français en ont dévoré 134 millions de boîtes –
c'est l'équivalent de deux boîtes par personne et
par an, enfants compris[1] ! Quant aux antibiotiques,
en 2009, la France était le pays qui en consommait
le plus par habitant parmi tous les pays de
l'O.C.D.E., sauf la Grèce. En France, on n'est satis-
fait que lorsque l'on quitte le médecin avec une
longue ordonnance de médicaments dont l'efficacité est parfois discutable (dans le jargon, « service
médical rendu insuffisant »), et dont certains sont

---

1. « État des lieux de la consommation des benzodiazépines en
France », Afssaps, janvier 2012.

supprimés chaque année de la liste des produits remboursés. Il y a trop de gâchis dans ce système.

Le caractère parfois ubuesque de la gestion des services publics se révèle dans la complexité des organismes s'occupant de la Sécurité sociale. Il n'existe pas moins de dix régimes : le régime général, le régime agricole, le régime social des indépendants, le régime des fonctionnaires et des militaires de l'État, le régime des collectivités locales, les régimes spéciaux, le régime des marins, le régime des Français de l'étranger, le régime des étudiants et le régime spécifique des Assemblées, qui est particulièrement favorable. Mais ce n'est pas tout. Chaque régime a une caisse nationale et des caisses régionales. Parfois, il y a encore une division par branche : maladie, vieillesse, santé et travail. ACOSS, CNAF, MSA, CNAVPL, CNRACL, RAFP, FSPOEIE. On s'y perd dans cet enchevêtrement d'acronymes. Pas surprenant qu'il faille tant de fonctionnaires pour les administrer.

Enfin, un petit exemple qui en dit long : la double gestion de deux lignes de transport francilien que sont les RER A et B. Ces lignes, qui transportent plus d'un million de passagers par jour, sont gérées non pas par un seul organisme mais par deux, conjointement – la SNCF et la RATP –, avec par conséquent deux conducteurs pour chaque rame. Chaque conducteur s'occupe d'une partie de la ligne seulement et ils échangent leurs places à une gare d'interconnexion. Les passagers sont régulièrement obligés d'attendre l'arrivée du nouveau conducteur à la gare d'interconnexion, alors que celui qui a conduit le train jusque-là est déjà parti. On croit rêver.

Tous ces exemples sont de nature anecdotique et, comme tels, pas entièrement satisfaisants. Malgré les efforts consacrés ces dernières années dans plusieurs pays européens à l'amélioration des performances de la fonction publique – benchmarking, analyses input-output, value-for-money – il existe très peu d'études comparatives qui concernent la France[1]. L'une d'entre elles, publiée par la Banque centrale européenne, n'est pas flatteuse pour le pays. Parmi les vingt-trois pays industrialisés de cette étude, la France se place en dessous de la moyenne pour l'efficacité de son administration publique : mieux classée que l'Italie, mais derrière l'Allemagne[2]. D'après une autre étude, préparée pour le World Economic Forum de 2012, la France est classée dix-huitième dans le monde sur

---

1. Voir par exemple « Public Administration after New Public Management, Value for Money in Government », O.C.D.E., 2010.

2. Afonso, Antonio et al., « Public Sector Efficiency : An International Comparison », *European Central Bank : Working Paper Series*, juillet 2003.

des critères de compétitivité... mais seulement cinquante-sixième pour l'efficacité de la dépense publique[1]. Le rapport de l'O.C.D.E. sur la réforme de l'État ne mâche pas ses mots : « La France n'a pas suivi le mouvement de réformes mises en œuvre dans un certain nombre de pays de l'O.C.D.E. [...] dans la recherche formalisée et continue de gains d'efficience et d'efficacité. »

Dépenser pour demain, pas pour aujourd'hui

On pourrait peut-être passer sur ces sources d'inefficacité si le niveau élevé de dépense en France était au moins consacré à l'investissement dans l'appareil productif, afin de préparer et stimuler la croissance à l'avenir. Hélas, non. La plus grande partie de la dépense publique ne sert même pas à préparer la France de demain.

Ce problème n'est pas lié à la crise. Dès 2006, Michel Pébereau, alors P.-D.G. de BNP-Paribas, a présenté les conclusions consternantes de la Commission sur les finances publiques qu'il a présidée. « Notre dette ne s'explique pas par le renforcement des dépenses destinées à accroître notre

---

1. « The Global Competitiveness Report 2011-2012 », World Economic Forum, 2011.

potentiel de croissance... En réalité, l'accroisse-
ment de l'endettement ces vingt-cinq dernières
années ne provient pas d'un effort spécifique en
faveur de l'investissement public[1]. »

Autrement dit, la France ne dépense pas suffisamment afin d'investir dans l'économie du futur :
la recherche et le développement, l'enseignement
supérieur, les infrastructures. Au contraire, elle
emprunte pour continuer tout simplement de
payer les frais de fonctionnement, y compris ceux
de son système de protection sociale, et les salaires
et retraites de tous ses fonctionnaires. En ce qui
concerne la Sécurité sociale, comme le rapport
Pébereau l'a bien dit, « financer par endettement
ce type de dépenses, c'est décider de reporter le
coût de nos dépenses de tous les jours sur les générations futures... Ils paieront donc deux fois ».

En France, aujourd'hui, le modèle de croissance
économique lui-même est porté par la consommation, alimentée par les transferts publics payés à
crédit. Alors que l'Allemagne s'est dotée d'une économie orientée vers la production, l'investissement
et l'exportation, celle de la France a été soutenue
par les consommateurs... qui sont à leur tour
nourris par la dépense publique financée par la

---

1. Michel Pébereau, *op. cit.*

dette et l'État providence. Un cercle vicieux et insoutenable.

Cette réalité a été masquée en 2008-2009 car, en récession, l'économie française résistait mieux à la crise que les autres pays européens. Et ce, justement, grâce à son État fort qui pouvait mobiliser rapidement un stimulus fiscal – et apporter par exemple 500 000 euros rien que pour la restauration de la cathédrale Saint-Pierre de Beauvais, qui possède le plus haut chœur gothique au monde, dans le cadre du plan de relance de décembre 2008 – ainsi qu'aux transferts sociaux, que les économistes appellent les « stabilisateurs automatiques », qui permettaient aux Français de continuer à consommer malgré les plans sociaux. Mais cette situation était trompeuse, car elle masquait les faiblesses du modèle français. En réalité, la crise a eu pour effet d'accélérer le déclin économique. Depuis, la croissance de l'économie française a été dépassée de nouveau par celle de l'Allemagne, et le taux de croissance est actuellement en dessous de la moyenne des pays membres de l'O.C.D.E. Ce n'est pas la crise, ni la mondialisation, ni même l'euro qui en sont à l'origine : c'est le modèle de croissance par la dette publique.

Les Français ont effectivement fait un choix : emprunter pour se payer un système généreux dont le résultat et l'efficacité sont devenus contestables.

Le déni français

La formule « plus d'impôts, plus d'emprunts, plus de services publics » a atteint ses limites. Les Français se sont retrouvés avec les inconvénients du modèle suédois – payer beaucoup d'impôts – sans en recevoir les avantages – la qualité des services publics ou le niveau de croissance atteint dans ce pays scandinave. Ceci n'est pas soutenable sans évolution majeure. Tout l'enjeu consiste à modifier l'équilibre entre dépense publique et dépense privée, afin de cesser d'étouffer le secteur marchand, sans renoncer aux principes qui alimentent le modèle social français depuis sa création.

4

Toucher aux dépenses publiques, ce serait renoncer à ce modèle français que le monde entier envie

Conçu durant l'après-guerre, de période de réconciliation et de reconstruction nationale, le modèle de protection sociale touche au cœur de l'identité française. Le plan mis en œuvre en 1945 par Pierre Laroque, haut fonctionnaire et père fondateur de la Sécurité sociale en France, s'est inspiré directement du programme du Conseil national de la Résistance, qui proposait un « plan complet de sécurité sociale visant à assurer, à tous les citoyens, des moyens d'existence dans tous les cas où ils sont incapables de se les procurer par le travail ».

Le déni français

La construction de l'État providence, fondé sur les idéaux de la Résistance, marquait le transfert vers le secteur public d'une responsabilité – la misère et le malheur – assumée jusque-là par l'Église catholique, *via* la charité et les bonnes œuvres, ou par le paternalisme patronal. Les acquis sociaux qui s'accumulaient faisaient la gloire de l'élite républicaine d'après-guerre. Dans la conscience collective, ce modèle français est perçu comme un facteur de progrès social et de cohésion nationale. Le Préambule de la Constitution de la IVe République reconnaît le droit de tous à « la protection de la santé, la sécurité matérielle, le repos et les loisirs ». À quoi sert la France, héritière d'une histoire porteuse d'un rayonnement universel, si ce n'est à démontrer qu'on peut construire une société différente : moins individualiste, plus solidaire, plus protectrice que le monde anglo-saxon ? Toucher aux dépenses publiques qui permettent ce système reviendrait donc à renoncer à un élément de cette identité. Demande-rait-on aux Suédois d'abandonner leur modèle scandinave ?

Étrange coïncidence : depuis plus de cinq ans, les dépenses publiques de la Suède, pays emblématique de la généreuse protection sociale nordique, représentent moins (en part de P.I.B.) que celles de la France.

Toucher aux dépenses publiques

Oui, la Suède, le pays des crèches pour tous, des longs congés de maternité (et de paternité), de l'école et de la santé accessibles à tous, de l'art de vivre et de la cohésion sociale scandinaves, a déjà compris que son modèle avait atteint ses limites ; elle a pris les mesures nécessaires… sans renoncer à la solidarité nationale. Alors qu'en 2000, les dépenses publiques représentaient en France 52 % du produit intérieur brut, en dessous des 55 % de la Suède, la situation s'est aujourd'hui inversée. Les dépenses publiques françaises ont atteint les 56 % du P.I.B., alors que la Suède les a ramenées à 52 %. C'est la France qui, après le Danemark, est devenue actuellement championne d'Europe de la dépense publique !

L'exemple de la Suède mérite réflexion. Il constitue la meilleure réponse à ceux en France qui prétendent qu'il n'est pas possible de tailler dans la dépense publique sans abandonner l'esprit de solidarité.

La Suède comme cas d'école

L'histoire remonte à 1992, lorsque la Suède a été confrontée à une série de chocs économiques, puis à une crise du secteur bancaire et des finances publiques. Les chiffres sont impressionnants. En

1993, le déficit budgétaire suédois a atteint plus de 11 %, un niveau plus élevé que le pic de 7,6 % atteint en 2009 par la France. Le taux de chômage a triplé entre 1991 et 1993, pour atteindre plus de 9 %. Pendant trois années consécutives, une récession économique profonde s'est installée en Suède. Dans la foulée, le pays a perdu le triple A pour sa dette souveraine. Bref, au cours de cette période, la Suède a été confrontée à des problèmes économiques et de finances publiques plus aigus mais néanmoins semblables à ceux de la France d'aujourd'hui.

Le redressement en Suède a ensuite été spectaculaire. En 2011, en pleine crise européenne, la Suède a affiché un niveau de croissance économique proche de 4 %, un taux de chômage redescendu à 7 %, et un surplus budgétaire (ce que la France n'a pas atteint depuis près de quarante ans) de 0,1 %. Le pays qui avait perdu son triple A l'a regagné !

Comment ont fait les Suédois ?

Afin de mieux comprendre, je suis allée voir Anders Borg, l'actuel ministre suédois des Finances. Sa jeunesse, son look d'ancienne rock star et sa queue-de-cheval sont aussi étonnants que le redressement auquel il a participé. Trois éléments clé de l'expérience suédoise sont particulièrement pertinents pour la France d'aujourd'hui.

Toucher aux dépenses publiques

D'abord, les Suédois ont compris que sans finances publiques saines, il n'y aurait pas d'avenir pour les mesures de solidarité nationale. « Si vous voulez préserver un modèle social, ce que nous souhaitons, il faut être encore plus prudent quant à la maîtrise des finances publiques, a remarqué Anders Borg. Sinon, vous n'avez pas les moyens d'appliquer des mesures keynésiennes lors d'une crise. » Une vraie maîtrise des comptes publics était la condition pour retrouver la confiance des marchés et des consommateurs. Dès 1992 et 1993, des mesures ont été prises pour contrôler le déficit public. Grâce à ces décisions précoces, la baisse des déficits a été considérable : alors qu'en 1994 le déficit frôlait les 10 %, il a été réduit à moins de 2 % dès 1997. En 1997, la Suède s'est dotée d'une règle d'or budgétaire qui l'oblige à maintenir des comptes en surplus pendant les années de croissance importante.

Cet effort a été conduit d'abord par des gouvernements de gauche – ceux de Ingvar Carlsson et Göran Persson –, puis consolidé et poursuivi par un Premier ministre de centre-droite, Fredrik Reinfeldt. Cette continuité a permis aux Suédois de consolider leurs finances publiques même pendant des périodes de croissance, alors que la pression se relâchait. En 2006-2008, quand la croissance du P.I.B. en Suède était autour de 4 %, le gouvernement continuait de réformer les allocations sociales afin de contrôler les dépenses. Pendant toute cette période, alors que la France profitait de la croissance pour dépenser toujours plus, les Suédois en ont profité pour tailler dans les prestations sociales : en particulier celles liées aux arrêts de travail, au chômage, et à la retraite anticipée.

Deuxième leçon soulignée par Anders Borg : « Toute consolidation fiscale doit s'appuyer sur une baisse considérable des dépenses, pas seulement sur des hausses d'impôts. » De fait, la Suède a combiné les deux. Bien que le pays ait augmenté les impôts pendant cette période, cela ne représentait que la moitié de l'effort consacré à réduire les déficits. Plus précisément, pendant la période 1994-1998, la consolidation fiscale tint à 53 % à des baisses de dépenses, et à 47 % à des hausses d'impôts. Cela supposait des décisions extrêmement difficiles. C'est un gouvernement de gauche, élu en 1994, qui a réduit les effectifs de la fonction publique, et baissé les pensions de retraite et allocations de chômage. Entre 1990 et 1996, près de cent quarante agences publiques ont été fermées, et le nombre de fonctionnaires de l'État réduit de 10 %[1]. Ceci s'est traduit par le licenciement de 27 000 fonctionnaires, et 40 000 employés des entreprises publiques.

---

1. « Public Sector Workforce Adjustments in OECD Countries », O.C.D.E., 1998.

Toucher aux dépenses publiques

Troisième grande leçon, la réduction des dépenses ne consistait pas en une baisse généralisée ou aveugle, mais en un effort ciblé sur les allocations qui n'incitent pas les bénéficiaires à travailler. Autrement dit, les Suédois n'ont pas passé le rabot sur toutes les prestations sociales. Ils ont protégé, par exemple, les allocations familiales pour la petite enfance qui aident les femmes à travailler. En revanche, ils ont baissé les pensions de retraite et les allocations de chômage. Ces mesures ont été difficiles à avaler et certains jugent excessif le durcissement, par exemple, des conditions de remboursement de l'assurance-maladie. L'objectif était d'inciter les Suédois à passer le maximum de temps au travail – soit en prenant leur retraite plus tard, soit en restant moins longtemps au chômage – ainsi que d'éviter un *poverty trap*, le piège que constitue une assistance qui paye plus que le travail lui-même. Le fil conducteur a été de soutenir le travail à tout prix : plus les Suédois travaillent, plus ils créent de la richesse qui pourra ensuite financer la santé et les retraites.

Toutes ces mesures ont été accompagnées d'une politique de dérégulation et de privatisation visant à doper la compétitivité et la croissance. Des pans entiers des services publics ont été soumis à la concurrence et ouverts au secteur privé, y compris les écoles, l'hôpital et le marché de la poste, tout en gardant le principe de l'accès pour tous aux frais fortement subventionnés. Dans tous les secteurs, des entreprises publiques ont été vendues, y compris Vin & Sprit, qui produit Absolut, une marque de vodka achetée par le groupe français Pernod Ricard en 2008 pour 5,6 milliards d'euros.

L'esprit de solidarité sauvegardé

Le résultat de cet effort n'a pas été immédiat. Au début des années 1990, le plan d'austérité a contribué à une douloureuse hausse du chômage. La croissance restait faible et les dirigeants suédois ont connu un moment de désillusion. Il a fallu cinq ans avant de sentir l'effet de cet immense effort. Mais aujourd'hui, l'adaptation courageuse du modèle suédois, initiée il y a quinze ans, a permis au gouvernement de Fredrik Reinfeldt, chef du parti des *Moderaterna* (conservateurs) réélu à la tête d'un gouvernement minoritaire en 2010, de baisser le niveau global d'imposition dans l'économie – dans le pays qui était le plus lourdement taxé de l'O.C.D.E. dix années auparavant. Il a introduit une forte réduction de l'impôt sur le revenu et de l'impôt sur les sociétés. Il a aussi diminué les charges sociales et supprimé l'impôt sur la fortune. Enfin, il a réformé les allocations de chômage afin de permettre à ceux qui reprennent un travail de garder des aides et de ne pas être pénalisés sur le plan financier. Le gouvernement suédois demande moins aux contribuables aujourd'hui qu'il y a cinq ans.

Comment ont-ils fait pour garder l'esprit de solidarité tout en diminuant les dépenses, une combinaison que les Français semblent ne pas croire possible ?

« Nous avons fait des erreurs dans les années 1980, explique Anders Borg. Nous avons créé un système trop généreux. Mais réformer la protection sociale ne veut pas dire l'abandonner. Nous avons fait attention à ne pas menacer le modèle social. Ainsi, les Suédois ont accepté que l'on mette fin aux allocations de chômage d'une durée de trois ans, à condition qu'on ne touche pas aux crèches, à l'école ou à la santé. »

Ils ont veillé à donner le sentiment d'un effort partagé, en faisant peser les deux cinquièmes des économies sur les 20 % les plus riches.

Anders Borg insiste surtout sur la partie de la réforme qui touche à la politique du retour à l'emploi et à l'articulation entre le travail et l'assistance. « Sous l'ancien modèle suédois, basé sur l'assistance, il fallait arbitrer entre la cohésion sociale et la croissance. Mais ce n'est plus le cas avec le modèle actuel, qui dépend des outils modernes : un système éducatif et une politique de retour à l'emploi, de très haute qualité. »

Les inégalités ont commencé à s'accentuer, c'est incontestable. Mais la Suède conserve néanmoins une bonne place. Prenant en compte non seulement les revenus des prestations sociales et des salaires, mais aussi les services comme l'école et la santé, la Suède est le pays qui connaît le moins d'inégalités selon l'O.C.D.E. Et le pays reste, aux côtés de la Finlande, du Danemark et des Pays-Bas, bien classé à la fois pour son taux d'emploi élevé et son taux de pauvreté en deçà de la moyenne.

Ce redressement suédois n'aurait pas été possible sans la volonté de la classe politique, à gauche comme à droite, de remettre de l'ordre dans les finances publiques en taillant sérieusement dans les dépenses de protection sociale. Pour cela, il fallait une crise sévère, capable de déclencher une prise de conscience : la Suède n'avait pas d'autre choix. La crise a par conséquent établi un consensus politique autour du besoin de réformer le modèle social. La stratégie politique a consisté d'abord à savoir combiner les mesures d'austérité avec la solidarité. « Un redressement des comptes publics ne doit pas se faire au prix de la cohésion sociale, commente Anders Borg. Tout le monde doit participer à l'effort de façon équitable. » Autre volet de la stratégie : en rendant le service public plus efficace, les Suédois ont renforcé la légitimité d'un régime de fiscalité élevée. Le contribuable sait qu'il en aura pour son argent. Cela représente un vrai choix de société.

Certes, la Suède n'est pas la France. Le pays n'est pas dans la zone euro, ce qui lui donne, en matière de politique monétaire, une marge de manœuvre dont les autorités françaises ne disposent pas. Une devise moins forte que l'euro a favorisé les exportations. Mais le pays a compris par le passé que les dévaluations compétitives n'étaient pas une solution à long terme. Cela ne remplace pas une politique orientée vers les gains de productivité et de compétitivité. Le redressement des comptes publics a été obtenu grâce à une volonté politique, pas grâce à une dévaluation.

La Suède est également plus petite que la France (sa population est de 9 millions d'habitants, soit un sixième de la population française) et moins hétérogène. Mais le pays est nettement plus divers que par le passé. Aujourd'hui, près de 20 % de la population du pays est née à l'étranger, y compris une importante minorité d'Irakiens. La population musulmane est estimée à 5 % du total.

La Suède n'est pas un cas unique. Le Canada, qui se distingue de son grand voisin américain et affiche des valeurs et un attachement à un État providence fort qui le font plutôt ressembler à la France, a été confronté à sa propre crise des finances publiques et à une explosion de la dette. Son déficit a atteint 8,7 % du P.I.B. en 1993, soit deux fois plus que la France aujourd'hui ; la dette publique s'est élevée à 96 %, supérieure elle aussi à celle de la France. Après de nombreuses années de budgets en déficit, le gouvernement de Jean Chrétien a lancé un programme de réduction drastique des dépenses : baisse du nombre de ministères de 32 à 23 ; gel des salaires des fonctionnaires pendant trois ans ; réorganisation des administrations ; baisse de 15 % des effectifs des fonctionnaires fédéraux. Les résultats ont été spectaculaires : un budget en excédent dès 1997 et confirmé les quatre années suivantes. Cette baisse de dépenses n'a pas affaibli la qualité de ses services publics[1].

L'enjeu pour la France

Toujours est-il que la France reste différente, répondra-t-on. Le système de protection de l'État providence, adopté après la Libération, est fondé sur le principe de la mutualisation du risque. Ce

---

1. Mathieu, Alain, *Réformes à l'étranger. La raison du succès canadien*, I.F.R.A.P., novembre 2003.

ne sont pas les impôts qui le financent, mais des contributions spécifiques, prélevées sur les salaires, qui assurent les personnes contre les risques : vieillesse, santé ou chômage. Autrement dit, ceux qui touchent ces allocations exercent leur droit, car ils ont versé, année après année, des cotisations sociales contre le risque de tomber malade ou de perdre son emploi. En vertu de ce principe, les prestations ne constituent pas un acte de solidarité mais la juste contrepartie des contributions payées par un salarié durant sa vie professionnelle.

Le raisonnement serait recevable si le système était en équilibre de façon structurelle et sans conséquence pour la compétitivité et l'emploi. Mais ce n'est pas le cas. Ce n'est plus l'employé français et son employeur qui financent le système grâce à leurs cotisations. Ce sont les emprunts publics. Même après la réforme de la retraite de 2010, l'État reste obligé de verser de l'argent aux caisses de retraite car le système ne s'autofinance pas. Cela n'est pas soutenable. Comme la Suède et le Canada par le passé, la France n'a pas d'autre choix que de limiter ses dépenses sociales.

Tout l'enjeu consiste à tailler durablement dans ces dépenses, afin d'améliorer l'efficacité et de supprimer les excès, sans mettre en cause le modèle lui-même. Il y aura des arbitrages difficiles à faire, mais au fond la question est simple : pendant

l'enfance et la vieillesse, en cas de maladie, de chômage, ou de pauvreté, quel niveau de protection le
pays peut-il offrir désormais à ses citoyens ? Voici
le vrai débat, celui qui n'a pas eu lieu pendant la
campagne présidentielle.

Il ne s'agit pas non plus d'un choix entre l'efficacité économique et les exigences de la justice
sociale, ou entre l'austérité et la protection sociale.
Ce n'est pas parce qu'elle a baissé sa dépense
publique que la Suède n'est plus une société fidèle
aux valeurs de solidarité. L'école publique y reste
gratuite ; les salariés y ont droit à cinq semaines de
congés payés par an ainsi qu'à une longue période
de congé maternité. Dans le classement du Programme des Nations unies pour le développement
(PNUD) sur le niveau de développement humain
des pays, la Suède figure en dixième place dans le
monde sur cent quatre-vingt-sept pays[1].

Réformer le système français afin de lui redonner
une base solide pour les générations à venir ne
signifie pas renoncer à la protection tout court. Un
jour de moins à la maternité ; une franchise plus
élevée par médicament prescrit ; des allocations
chômage qui durent moins longtemps et une limite
maximale moins généreuse pour les cadres ; deux

---

1. « Rapport sur le développement humain 2011 », Programme des
Nations unies pour le développement.

années de plus au travail avant de prendre la retraite ; une condition de ressources pour les allocations familiales ; un stade de moins construit dans les régions : tout cela ne veut pas dire abandonner le principe de solidarité, ni l'art de vivre à la française. La France restera la France si elle supprime les excès d'un système devenu trop lourd, trop inefficace, trop coûteux, tout en gardant son esprit. Mieux, une telle évolution permettra au pays de préserver son modèle, car il sera construit sur des fondations durables. Mais il faut être lucide : la protection ne sera plus la même. Les droits d'hier vont devenir les luxes de demain.

5

On peut toujours faire payer les riches

Peu de temps après la déclaration de Warren Buffett, patron richissime de la société d'investissement américaine Berkshire Hathaway, qui exprimait son désir – plutôt inattendu -- de payer davantage d'impôts, Maurice Lévy, patron de Publicis et proche de Nicolas Sarkozy, reprend le flambeau en France. Il appelle de ses vœux une « contribution exceptionnelle des plus riches[1] ». Il juge indispensable que les plus privilégiés fournissent un « effort de solidarité ». Il est rejoint par le fondateur de la maison Yves Saint Laurent, Pierre

1. Maurice Lévy, « En finir avec le déficit des finances publiques », *Le Monde*, 17 août 2011.

Bergé, proche de la gauche, qui demande à son tour de taxer davantage les plus hauts revenus. Jamais les riches de France n'ont lancé un tel appel au fisc. Le message est bien reçu. Quelques jours plus tard, crise économique oblige, le gouvernement français de François Fillon annonce une nouvelle taxe sur les très riches : 3 % pour les revenus supérieurs à 250 000 euros et 4 % pour ceux supérieurs à 500 000 euros.

Il n'y a pas de politique plus séduisante pour la conscience collective française que celle qui consiste à faire payer les riches. Car ces derniers ne sont guère appréciés en France. À l'occasion d'une visite à Clermont-Ferrand en 1984, François Mitterrand aurait déclaré à Valéry Giscard d'Estaing, d'après le récit que ce dernier en a fait[1] : « Mon objectif, c'est de détruire la bourgeoisie française ! » Les Français méprisent l'argent, et encore plus ceux qui se vantent de leur argent. En 1971, lors du congrès d'Épinay, Mitterrand avait dénoncé « toutes les puissances d'argent, l'argent qui corrompt, l'argent qui achète, l'argent qui écrase, l'argent qui tue, l'argent qui ruine, et l'argent qui pourrit jusqu'à la conscience des hommes ». Et Nicolas Sarkozy ne s'est jamais remis de l'étiquette bling-bling que lui

---

1. Valéry Giscard d'Estaing, *Les Français : réflexions sur le destin d'un peuple*, Plon, 2000.

a value l'épisode du Fouquet's et du yacht de Vincent Bolloré.

Pendant la campagne présidentielle, les divers candidats de gauche ont repris ce thème avec zèle. François Hollande – qui a déclaré un jour « je n'aime pas les riches » – a fait écho, dans son discours du Bourget, aux propos de Mitterrand, avec la dénonciation d'une nouvelle aristocratie « arrogante et cupide », de ceux « qui sont fascinés par l'argent » et du monde de la finance (à qui la France emprunte chaque jour des sommes colossales pour soutenir son modèle social). Non seulement il a promis de supprimer les allégements de l'impôt sur la fortune (I.S.F.), mais son grand coup électoral a consisté à proposer un taux marginal de 75 % pour les foyers fiscaux dont les revenus sont supérieurs à 1 million d'euros. Un conseiller de Jean-Luc Mélenchon a pourtant qualifié cette proposition de François Hollande de « relativement timide ». En rappelant le décret du 4 août 1789, M. Mélenchon a lui-même proposé de taxer à 100 %, c'est-à-dire de confisquer purement et simplement tous les revenus supérieurs à 360 000 euros : C'est « la clé de la solution de ce qu'il est convenu d'appeler la crise de la dette publique ».

Force est de constater que certains salaires des dirigeants français choquent, bien qu'ils soient moins extravagants que ceux de leurs homologues américains les mieux payés, ceux du top 500, qui ont reçu l'année dernière 10,5 millions de dollars en moyenne[1]. Après la crise bancaire de 2008, les P.-D.G. des banques françaises en particulier ont tardé à comprendre que les Français, dont le salaire moyen annuel est de 19 270 euros, étaient choqués par le niveau des salaires et des bonus payés pendant la crise.

En outre, la décision d'augmenter les taxes sur les riches peut constituer un geste politique fort en période d'austérité. En demandant un effort supplémentaire à ceux qui ont le plus, un gouvernement rend plus légitimes d'autres mesures impopulaires qui, elles, touchent tout le monde. Face à la montée de la colère des Anglais contre les excès de leurs banquiers suite à la crise financière, le gouvernement (de gauche) de Gordon Brown en 2010 a augmenté jusqu'à 50 % la dernière tranche de l'impôt sur le revenu. C'était la première hausse de ce taux depuis 1974, plus de trente ans auparavant. Son successeur, David Cameron (de droite, héritier de Margaret Thatcher, pionnière de la politique de la baisse de l'impôt), a lui-même décidé pendant deux ans de ne pas modifier ce taux : il l'a maintenu jusqu'en 2012, avant de le ramener à 45 %. Il disposait ainsi d'un symbole de la répartition de l'effort pendant qu'il

---

1. « America's Highest Paid CEOs », *Forbes*, 4 avril 2012.

mettait en place son douloureux plan de rigueur. Cette politique a sans doute contribué à faire passer la pilule amère des coupes dans les dépenses publiques.

Une fausse bonne idée

Mais l'idée de résoudre le problème de la dette et des déficits publics par un simple recours à la taxation des riches est doublement fausse.

D'abord, parce qu'en France l'impôt sur le revenu a un rendement relativement faible. Si on prend juste l'impôt sur le revenu des personnes physiques (I.R.P.P.), on constate qu'il ne contribue que très peu aux recettes fiscales totales du gouvernement : 6 %[1]. Depuis 1990, année de l'introduction de la contribution sociale généralisée (C.S.G.) par Michel Rocard, alors Premier ministre socialiste, avec pour objectif la diversification du financement du système de protection sociale, l'impôt sur le revenu a connu une longue baisse de sa contribution en pourcentage des recettes totales, alors que la part fournie par la C.S.G. progressait. Cependant, si on regroupe les recettes de l'impôt

---

1. Camille Landais, Thomas Piketty, Emmanuel Saez, *Pour une révolution fiscale,* Le Seuil/République des idées, 2011.

sur le revenu et celles de la C.S.G. prélevées sur le revenu, l'ensemble de ces taxes ne représente encore que 18 % du total. C'est toujours très peu. Parmi les pays membres de l'O.C.D.E., la moyenne est d'un quart[1].

Le gouvernement français reçoit bien plus de recettes grâce à d'autres taxes, notamment la taxe sur la valeur ajoutée (27 % du total), et surtout les cotisations sociales, qui en fournissent la plus grande part (47 %). C'est simple : si l'objectif est d'augmenter de façon considérable les recettes, l'impôt sur le revenu ne peut pas être un outil efficace. M. Hollande lui-même a reconnu ce fait. « Ce n'est pas une question de rendement, c'est une question de moralisation », a-t-il dit de son taux d'imposition à 75 % des très hauts revenus, estimant qu'il ne rapporterait pas beaucoup : au mieux entre 200 et 300 millions d'euros, soit moins de 0,08 % du budget général de l'État en 2012.

Cette faible capacité à générer des recettes par le biais de l'impôt sur le revenu tient au fait que seulement 53 % des foyers français payent cet impôt[2]. Son assiette est bien trop étroite. Grâce au quotient familial, au barème progressif, à la prime

---

1. « Statistiques des recettes publiques : 1965-2010 », O.C.D.E., 2011.

2. *Annuaire statistique de la Direction générale des finances publiques*, 2009.

pour l'emploi et à d'autres exonérations et abatte-
ments, un foyer qui dispose d'un revenu fiscal
annuel de moins de 15 000 euros nets ne paye pas
d'impôts sur le revenu. Et en France, les riches
bénéficient eux aussi de ces niches fiscales qui sont
particulièrement nombreuses : près de 3 000. Des
niches comme celle qui permet aux contribuables
domiciliés en métropole de déduire de leurs impôts
de 50 % à 70 % des sommes misées dans des investissements productifs ou immobiliers outre-mer.
Ou bien celle qui permet aux ménages de déduire
des dépenses de grosses réparations et d'amélioration énergétique de leur logement. D'après un rapport de Gilles Carrez, député UMP, parmi les
330 000 ménages imposés à la dernière tranche de
41 % – disposant d'un revenu imposable de plus
de 70 830 euros par part –, 4 800 ont annulé totalement leur impôt en 2010 par le jeu des niches
fiscales[1]. C'est absurde.

Malgré tout, la majeure partie des recettes de
l'impôt sur le revenu en France est déjà payée par
les riches. Les 1,6 % de foyers fiscaux les plus aisés,
qui ont un revenu supérieur à 97 000 euros, contri-
buent à eux seuls à 44 % de tout l'impôt sur le

---

1. « Rapport fait au nom de la Commission des finances, de l'économie générale et du contrôle budgétaire sur le projet de loi de finances
pour 2012 (3805) », Assemblée Nationale, 12 octobre 2011.

revenu ! En 2009, les 10 % des foyers disposant des plus hauts revenus ont supporté 74 % de l'impôt net alors qu'ils n'en acquittaient que 62 % en 1975[1]. La France est déjà un pays fortement taxé. Parmi les quatre-vingt-huit pays ou territoires dans le monde étudiés par la société d'experts comptables KPMG en 2011, la France occupe la septième place pour la taxation la plus élevée des revenus au-dessus de 100 000 dollars (76 000 euros), impôts et charges compris, et la deuxième place dans le monde pour les revenus au-dessus de 300 000 euros[2] ! Au-delà de l'impôt sur le revenu, les riches en France sont assujettis à l'I.S.F. sur le patrimoine, un impôt qui n'existe dans presque aucun autre pays européen (il a été aboli en Suède et en Allemagne). Et le taux français d'imposition sur les dividendes est déjà le plus élevé de tous les pays de l'O.C.D.E. Autrement dit, les riches sont déjà lourdement taxés en France.

---

1. Assemblée Nationale, *op. cit.*
2. « Individual Income Tax and Social Security Rate Survey », KPMG, 2011.

Faire fuir les riches

Il y a une deuxième raison qui fait que le recours à une hausse de la taxation sur les riches ne résoudra pas le problème des déficits : une trop lourde imposition ne rapporterait pas automatiquement des revenus supplémentaires à l'État. Pourquoi ? Trop d'impôt sur le revenu peut, sur la durée, décourager l'activité économique (ou la dissimulation d'une telle activité), ou même la participation au marché du travail, y compris chez les seniors et les femmes, ou encore accélérer les départs et dissuader les arrivées. On sait déjà que la Belgique et la Suisse sont des destinations prisées par les exilés fiscaux français. Il existe très peu de comptes précis sur l'impact de l'I.S.F. à cet égard mais une estimation prudente, calculée par Gabriel Zucman, de l'École d'Économie de Paris, chiffrerait la perte annuelle de la France à 400 millions d'euros[1] – plus que le revenu supplémentaire qu'obtiendrait M. Hollande grâce à sa tranche à 75 %.

Comme le disait déjà Malesherbes, qui s'insurgeait contre les hausses d'impôts voulues par le pouvoir royal de Louis XV, « le peuple qu'on accable d'impôts finit par n'en plus payer ». Trop

---

1. Gabriel Zucman, « Les hauts patrimoines fuient-ils l'ISF ? Une estimation sur la période 1995-2006 », École d'économie de Paris, 2008.

d'impôts tue l'impôt. Regardons ce qui s'est passé en Grande-Bretagne lors de la réforme de la fiscalité des années 1980. Dans les années 1970, période de sombre déclin pour la Grande-Bretagne, la dernière tranche de l'impôt sur le revenu atteignait les 83 %, un record historique. À l'époque, le pays était perturbé par une instabilité politique et économique chronique, ainsi que par des désordres sociaux. C'était l'« homme malade de l'Europe », un pays en proie à des grèves à répétition, où les ordures traînaient dans les rues et où des corps étaient oubliés dans les morgues. Comme la Grèce aujourd'hui, la Grande-Bretagne a été au bord de la faillite et contrainte de demander un plan de sauvetage au F.M.I.

La suite, l'élection de Margaret Thatcher et la dérégulation brutale de l'économie britannique, est connue. Mais un élément de sa politique fiscale mérite d'être rappelé : en 1979, le Premier ministre a baissé le taux supérieur de l'impôt sur le revenu de 83 % à 60 %. Suite à cette mesure, la part de cette taxe payée par les 1 % les plus riches est passée de 11 % à 14 % sur neuf ans ! Les Britanniques cessaient de cacher leur argent, de s'exiler ou de dissimuler leur travail. En 1988 à nouveau, Mme Thatcher a utilisé le procédé, abaissant le taux marginal jusqu'à 40 %. Neuf ans plus tard, les 1 % les plus riches, qui, certes, ont vu augmenter leurs

propres revenus d'une manière spectaculaire, contri-
buaient à hauteur de 21 % des recettes totales[1].
Autrement dit, taxer moins fortement les riches a
conduit à augmenter leur contribution aux recettes.

Au cours des deux dernières décennies, la plupart
des pays européens ont suivi cet exemple, avec des
baisses de leurs taux marginaux de l'impôt sur le
revenu. Entre 1994 et 2010, le taux moyen de cette
tranche supérieure a baissé de 49 % à 42 % dans
les pays membres de l'O.C.D.E.[2]. Les dirigeants
ont compris qu'un taux d'imposition trop élevé ne
fournissait pas davantage de recettes. Aujourd'hui,
en Europe, aucun pays ne dispose d'une tranche
approchant des 75 % de François Hollande. La
plus élevée se trouve en Suède : 56,5 %. Après avoir
laissé la dernière tranche à 50 % pendant deux ans,
le gouvernement britannique a décidé lui aussi de
la baisser à 45 %. « Aucun ministre des Finances
ne peut justifier un taux d'imposition qui nuit à
notre économie et qui ne rapporte presque rien »,
a affirmé George Osborne, le chancelier de l'Échi-
quier. À déclarations de revenus constantes, ses

---

1. Voir par exemple M. Brewer, E. Saez et A. Shephard, « Means-
Testing and Tax Rates on Earnings », *The Mirrlees Review : Reforming the
Tax System for the 21st Century*, Institute for Fiscal Studies, 2010.
2. « Challenges in Designing Competitive Tax Systems », O.C.D.E.,
2011.

services ont estimé que le Trésor britannique n'allait perdre que 100 millions de livres (123 millions d'euros) en recettes du fait de la baisse du taux, un montant qui ne représente que 0,02 % des recettes publiques totales.

Si l'objectif est d'augmenter les recettes, mieux vaut élargir la base de l'impôt sur le revenu que d'augmenter la dernière tranche jusqu'à un niveau pénalisant. Une fusion de l'impôt sur le revenu avec la C.S.G., qui est prélevée non seulement sur les salaires mais aussi sur les revenus issus du chômage, des pensions de retraite et des placements financiers et du patrimoine, aurait le mérite de réaliser cet objectif. Cette fusion figurait parmi les propositions initiales du programme du PS.

La problématique du 1 %

Au-delà de l'inefficacité d'un taux marginal trop élevé, quel est le message envoyé par un pays avec une forte politique d'imposition ? On peut appeler cela, comme le fait François Hollande, de la justice sociale. Il faut faire payer les riches parce qu'il n'est pas juste qu'ils possèdent plus que les autres. Il est vrai que certains des ultrariches ont bénéficié sans doute de spectaculaires gains de revenus. D'après l'Observatoire des inégalités, les 1 % les plus riches en France ont effectivement vu augmenter leurs revenus annuels réels de 16 % entre 2004 et 2008 ; pour les 0,01 % les plus riches, la hausse s'est élevée à 33 %[1]. L'écart entre le 1 % les plus riches et le 1 % les plus pauvres s'est effectivement creusé. De plus, d'après les analyses de Thomas Picketty, ces ultrariches français ont un taux d'imposition (toutes taxes comprises) en moyenne un peu moins élevé que celui des classes moyennes : 44 % pour les 1 % les plus riches, et 35 % pour les 0,01 % les plus riches, contre une moyenne générale de 47 %[2]. Cela tient au fait que les ultrariches tirent une grande partie de leurs revenus non pas de leurs salaires mais de leurs investissements. Cette dégressivité du système constitue un vrai sujet de débat.

Mais l'ampleur du problème en France est loin, très loin de celui posé aux États-Unis par les fameux impôts de Mitt Romney (qui ne paye en moyenne que 15 % de taxes sur ses revenus) ou de M. Buffet (taxé à 17 % alors que son secrétaire est, lui, taxé à 36 %). En France, on trouvera difficilement un secrétaire dont le taux moyen d'imposition est plus élevé que celui de son patron.

En réalité, et malgré les idées reçues, la France est l'un des rares pays industrialisés où l'inégalité entre

---

1. Observatoire des inégalités, *op. cit.*
2. Landais et al, *op. cit.*

115

les 10 % les plus riches et les 10 % les plus pauvres ne se creuse pas. Après transferts sociaux et taxes, l'écart entre les 10 % les plus riches et les 10 % les plus pauvres est resté stable sur dix ans, d'après l'Observatoire des inégalités. Pour les revenus, parmi tous les pays étudiés par l'O.C.D.E., la France est un des rares pays où les inégalités ne se sont pas creusées entre 1985 et 2008, comme nous avons vu précédemment (voir chapitre 3). L'inégalité du patrimoine, elle, a augmenté à cause de l'explosion des prix de l'immobilier pendant cette période, ce qui pose un problème réel pour la jeune génération. Mais en matière de revenus, la France arrive déjà à minimiser les inégalités de façon assez efficace grâce à son système de redistribution, de transferts sociaux et d'exonérations de taxe pour les plus démunis.

Augmenter l'impôt sur le revenu de manière excessive ne rapporterait pas beaucoup et ne répondrait pas à un réel problème d'inégalité croissante. Il ne reste donc que le geste politique, un geste qui pourrait être utile pour faire passer des mesures difficiles.

Une machine à décourager les entrepreneurs

Mais ce geste envoie un autre signal fort, un signal plus inquiétant : il décourage ceux qui souhaitent créer de la richesse. Car les riches en France ne sont pas tous des rentiers ou des héritiers. Parmi les riches, il y a aussi les entrepreneurs, ceux qui prennent des risques et qui créent de la richesse ainsi que la plupart des nouveaux emplois du pays.

Certes, les entrepreneurs sont plus concernés par l'impôt sur les plus-values, car ils investissent dans leurs entreprises et s'attribuent moins souvent des salaires extravagants. Mais le symbole du 75 % est encore plus fort dans un pays comme la France, qui dispose aussi de l'I.S.F. et d'un impôt élevé sur les plus-values. Alors que l'Allemagne a supprimé son impôt sur la fortune en 1997, la France est un des seuls pays d'Europe à maintenir cette taxe que personne, à droite comme à gauche, ne peut toucher sans se mettre en danger électoral. Parmi les trente-quatre pays de l'O.C.D.E., la France est celui qui, en 2011, a taxé le plus les dividendes – plus que les Allemands, les Suédois ou les Néerlandais. Et la France a introduit cette année une *exit tax*, visant à décourager les entrepreneurs qui auraient créé une entreprise de valeur et souhaiteraient quitter le pays afin de céder leurs titres (et réaliser leur plus-value) là où l'imposition est moins forte.

Quelle formidable machine à décourager les entrepreneurs, qui sont déjà nombreux à quitter la France pour la Californie, Hong Kong ou Londres... ville dans laquelle David Cameron, Premier ministre britannique, se dit prêt à « dérouler le tapis rouge » afin d'accueillir plus d'entreprises françaises ! Écoutez la réaction à la proposition d'un taux à 75 % de Marc Simoncini, créateur français de Meetic, un site de rencontres à grand succès. « Elle enverrait au monde entier un signal calamiteux pour la France. Peut-on imaginer donner envie d'entreprendre, de créer, d'investir et de réussir dans le pays qui serait de fait le plus taxé au monde[1] ? » Ce parfait représentant de la nouvelle génération des entrepreneurs français avait pourtant signé l'appel en faveur d'une contribution exceptionnelle des hauts revenus. Annoncer que le succès sera pénalisé, c'est le pire message que puisse envoyer un pays qui a besoin d'encourager la création de richesses.

La dure réalité, c'est que la France est déjà un pays surtaxé. Le poids de tous les prélèvements obligatoires dans le P.I.B., d'après les chiffres de l'O.C.D.E., est de 43 %, bien supérieur à la moyenne (34 %), Allemagne comprise. Et tout cela n'est pas le résultat d'une politique seulement de gauche. Durant le mandat de Nicolas Sarkozy, élu en 2007 en promettant de baisser le niveau des prélèvements obligatoires, ce taux a en réalité

---

1. « Taxe Hollande à 75 % : moi, Marc Simoncini, je n'approuve pas cette mesure », *Le Nouvel Observateur*, 5 mars 2012.

augmenté. Entre 1975 et 2010, la part de tous les prélèvements obligatoires dans le P.I.B. a augmenté de 7 points en France, de 2 points en Allemagne, et de 0,1 point en Grande-Bretagne. S'il y a bien une chose dont la France n'a pas besoin sur le long terme, c'est de plus d'impôts sans un effort important sur les dépenses !

Car les dépenses publiques sont le vrai levier face aux déficits publics. Comme le dit Didier Migaud, « en raison du niveau déjà atteint par les prélèvements obligatoires dans notre pays [...], le volet des dépenses devrait apporter une contribution beaucoup plus importante au redressement des comptes publics[1] ». La France ne peut pas se permettre d'augmenter davantage le taux global de ces prélèvements sans freiner la croissance et étouffer le secteur privé. Les Français passent tellement de temps à débattre de la redistribution de la richesse et de l'imposition des plus riches qu'ils négligent la création de ces richesses. La solution n'est pas de se demander constamment si le voisin a plus que soi, mais de concentrer les efforts en vue d'assurer la liberté d'entreprendre et l'égalité des chances, et de veiller à ce que chacun, sans considérer ses origines, puisse réussir et bien gagner sa vie.

---

1. Cour des Comptes, *op. cit.*

6

Mais la réglementation du marché de travail protège tous les Français

Sur les bords de la Loire, en face du château d'Amboise, trône une usine dernier cri. Dans un parc paysager, Pfizer, géant américain de l'industrie pharmaceutique, produit autour de 70 millions d'unités de Viagra pour le marché mondial, y compris les États-Unis. En arrivant sur le site, tout est propre et calme ; les bâtiments carrés qui abritent le centre de production sont entourés d'espaces verts et d'arbres. Le site possède sa propre station d'épuration qui traite 100 % des eaux usées, conformément à une politique de gestion durable. L'endroit incarne parfaitement l'industrie de demain, basée sur une haute technologie, des personnels de qualité et le respect de l'environnement.

Jusqu'à la fin des années 1990, m'a expliqué la gérante française de l'usine, ce que Pfizer fabriquait en France était essentiellement destiné au marché français. En 1995, suite à une rationalisation des sites de production, Pfizer a décidé d'augmenter la capacité de l'usine d'Amboise. Il a investi massivement dans le site afin de créer un centre de production pour le marché mondial. Depuis, l'usine est devenue le premier site de fabrication de Viagra de la planète ; la plupart de sa production est destinée à l'exportation. C'est un très bel exemple de l'attractivité de la France pour les investisseurs étrangers. La productivité est élevée dans l'usine et l'expertise technique, de premier plan.

Pourtant, quel choc quand on visite la chaîne de fabrication : il y a très peu de personnes au travail. Tout, ou presque tout, est fait par des machines : l'emballage, la pose des étiquettes, la circulation du produit sur des systèmes convoyeurs en courbe. Même les élévateurs à fourche, qui ramassent les cartons de comprimés pour les stocker dans un immense entrepôt aux allures de cathédrale, se déplacent tout seuls grâce à un système de téléguidance wi-fi. Partout, le silence règne.

La leçon à tirer d'une visite de cette usine, c'est que la France reste capable d'attirer sur son territoire des investisseurs de qualité. Et cela même dans le domaine de la production industrielle. Pfizer dispose aussi sur le site d'Amboise d'un centre de recherche et de développement qui emploie des chercheurs français. La qualité des laboratoires locaux destinés à tester des échantillons du produit est reconnue : l'usine est agréée par les autorités étrangères au Japon et aux États-Unis.

Mais cette usine révèle une autre vérité plus dérangeante : en France, mieux vaut investir dans les machines que dans les personnes. Cela ne tient pas à une faible productivité. Au contraire, les Français ont un niveau de productivité horaire légèrement supérieur à celui des Américains. L'explication réside plutôt dans la protection des employés français : la semaine de 35 heures, un code du travail contraignant, un manque de flexibilité et des charges sociales trop lourdes. Par conséquent, trop peu d'employeurs créent des emplois permanents. Cherchez le lien avec un taux de chômage élevé en France !

Un marché du travail à deux vitesses

La France a fait le choix de protéger ceux qui ont un emploi – les *insiders* dans le jargon économique – au détriment des *outsiders*, ceux qui sont soit au chômage, soit condamnés à travailler en CDD à répétition ou en intérim. Dans les sondages, les Français se disent souvent malheureux au travail. Mais tous ces *insiders* sont des enfants gâtés !

D'abord, ils sont protégés par un code du travail qui est un des plus lourds d'Europe. Au sens propre comme au sens figuré : avec ses 3 391 pages, l'édition de 2011 est presque 50 % plus fournie que celle de 2000. Chaque secteur est soumis à des conventions collectives, qui s'appliquent à chaque corporation ; celle des coiffeurs compte 144 pages ; celle des pâtissiers et boulangers, 480 pages. Certaines de ces règles sont essentielles. Elles témoignent d'une société qui respecte les droits fondamentaux et protègent les employés contre les abus ; elles sont comparables à ce que l'on trouve dans les autres grands pays démocratiques. Mais d'autres règles atteignent un niveau de détail et de contrainte qui va bien au-delà de ce qui existe ailleurs, un niveau qui est censé protéger les Français au travail mais qui finit par décourager la création d'emplois.

Comme l'a noté la Commission européenne dans son rapport du printemps dernier sur la France, certaines dispositions législatives rendent les licenciements particulièrement complexes[1]. Il

---

1. « Évaluation du programme national de réforme pour 2012 et du programme de stabilité de la France », Commission européenne, mai 2012.

est possible, par exemple, de réclamer des indemnités pour licenciement abusif jusqu'à un an après la date du licenciement économique, ce qui constitue l'un des plus longs délais de l'U.E. En outre, la définition du licenciement économique exclut la possibilité de licencier dans le cadre d'une stratégie visant à améliorer la compétitivité et la rentabilité d'une entreprise.

La réglementation du stress au travail fournit un autre exemple. Ce problème peut s'avérer sérieux et déboucher sur de vraies tragédies : la France a connu ces dernières années un niveau consternant de suicides dans les entreprises. Mais, aujourd'hui, la loi française est en déséquilibre : non seulement les employeurs ont l'obligation d'intervenir après un incident, ce qui est normal, mais ils doivent mettre en place en amont toutes les mesures visant à prévenir et protéger la sécurité des salariés au regard du stress au travail, faute de quoi ils peuvent être sanctionnés. Ils sont surveillés dans ce domaine par les comités d'hygiène, de sécurité et des conditions de travail, constitués dans tous les établissements occupant au moins 50 salariés. Ces comités doivent se réunir chaque trimestre ; ils accueillent aussi le médecin du travail, le représentant du personnel et un inspecteur du travail. Bénéficiant de compétences récemment renforcées, ces comités surveillent non seulement la mise en place de dispositifs raisonnables mais ils doivent être consultés lors de décisions mineures, y compris « toute transformation importante des postes de travail » (réaménagement d'un bureau, par exemple) et « avant toute modification des cadences et des normes de productivité », afin d'éviter des situations de stress excessif[1].

Maintenant, comparez ce niveau d'intervention avec les règles britanniques. Là, les inspecteurs du travail n'ont le droit d'intervenir que si les cas de stress concernent plusieurs employés au sein d'une même entreprise. D'après la règlementation anglaise, « les inspecteurs ne doivent pas intervenir dans le cadre des plaintes individuelles ».

En France, l'esprit du système se résume à la protection avant tout. L'objectif n'est pas d'améliorer la productivité, ou d'encourager l'initiative et la prise de risque, ou de garantir la pérennité de l'entreprise, ou de répondre aux besoins des consommateurs ou des contribuables. Il s'agit principalement de renforcer les droits de ceux qui bénéficient d'un emploi permanent.

---

1. « Le comité d'hygiène, de sécurité et des conditions de travail (CHSCT) », ministère du Travail, de l'Emploi, de la Formation professionnelle et du Dialogue social, avril 2012.

Mais la réglementation du marché

Priorité aux producteurs

Cette approche transparaît régulièrement dans les médias français. Les reportages à la télévision donnent systématiquement la parole aux représentants des salariés (donc, les syndicats), et beaucoup moins souvent aux consommateurs (alors qu'en France, seuls 8 % des salariés sont membres d'un syndicat, à comparer avec les 18 % de l'Allemagne).

Comparez par exemple deux reportages : celui d'un journal anglais de gauche (*The Guardian*) sur la grève des contrôleurs aériens en 2010, et celui sur le même thème, mais en 2012, du journal *Les Échos*, plutôt à droite et proche des entreprises.

The Guardian[1] commence son article de la manière suivante : « Des milliers de passagers vont rester en rade à la fin du mois suite au vote d'une grève par les employés de six aéroports. » Après avoir rappelé que l'action visait une augmentation des salaires et cité un représentant syndical, l'article donne ensuite la parole à la compagnie aérienne ainsi qu'au gouvernement (par deux fois) pour exprimer le point de vue des passagers : « David Cameron a manifesté son espoir de voir les employés voter et rejeter cette action car "la

1. Haroon Siddique et Matthew Taylor, « Airport Staff Vote to Strike over BAA Pay Offer », *The Guardian*, 12 août 2010.

grève n'apportera rien d'autre que des désagréments... Nous voulons montrer que l'Angleterre est en état de marche". Pour sa part, Philip Hammond, le ministre des Transports, a déjà demandé aux deux parties de "rechercher une solution qui ne pénalise pas les voyageurs". »

Autrement dit, tout ou presque est décrit du point de vue des passagers, et pas de celui des salariés.

Que fait *Les Échos* ? Plus ou moins l'inverse, car il débute son article par le point de vue des syndicats[1] : « Une partie des contrôleurs aériens sera en grève en début de semaine prochaine. Trois syndicats – la CGT, la CFDT et l'Unsa – ont en effet déposé un préavis pour les lundi 2 et mardi 3 avril. »

L'article se poursuit avec trois paragraphes qui expliquent et précisent leurs demandes : « Ils entendent dénoncer un plan de restructuration des services de contrôle aérien de province qui vise à fermer "la moitié des services de contrôle d'approche en France métropolitaine avec leurs services supports et de maintenance, la totalité des services régionaux d'information de vol et une partie du contrôle d'aérodrome", selon un communiqué

---

1. « Appel à la grève des contrôleurs aériens les 2 et 3 avril », *Les Échos*, 29 mars 2012.

de l'Union syndicale de l'aviation civile CGT (Usac-CGT). »

On apprend que certaines villes et des dizaines d'emplois « seraient menacés » et que « les syndicats s'inquiètent également d'une baisse du niveau de sécurité ».

Ce n'est qu'à la fin de l'article que le lecteur est informé des conséquences : « Le trafic aérien pourrait être perturbé en province sur les lignes intérieures. »

La menace de l'inspection

Cet exemple illustre le réflexe très français qui consiste à se préoccuper d'abord des salariés. Le système français d'inspection du travail va dans le même sens. Le rôle d'un inspecteur du travail, institution créée en 1874, est de « contrôler, informer, conseiller, concilier... ». Voici ses pouvoirs[1] :

L'inspecteur du travail possède également un pouvoir de décision : l'employeur doit, dans certaines situations prévues par le Code du travail, obtenir son autorisation avant d'agir. Tel est le cas, par exemple, en ce qui concerne le licenciement des représentants du personnel

---

1. « L'Inspection du travail », ministère du Travail, de l'Emploi, de la Formation professionnelle et du Dialogue social, février 2012.

(délégué du personnel, membre du comité d'entreprise, délégué syndical…), des conseillers aux prud'hommes, des médecins du travail, ainsi que pour certains dispositifs relatifs à la durée du travail (par exemple la mise en place d'horaires individualisés en l'absence de représentants du personnel), le travail des jeunes (dérogations à certaines interdictions) ou le règlement intérieur.

Les agents de l'inspection du travail disposent d'un pouvoir d'investigation qui les autorise à pénétrer dans l'entreprise et à la visiter, sans avertissement préalable ; mener une enquête, notamment en interrogeant les salariés, en demandant communication de documents ; demander, dans le cadre de la lutte contre le travail dissimulé, aux personnes occupées dans l'entreprise ou sur le lieu de travail ainsi qu'à toute personne dont ils sont amenés à recueillir les déclarations dans l'exercice de leur mission, de justifier de leur identité et de leur adresse ; faire appel à des organismes agréés pour vérifier l'état des locaux et des matériels.

Les constats de l'inspection du travail peuvent donner lieu à des observations rappelant les règles en vigueur ; des mises en demeure de se conformer à la réglementation ; des procès-verbaux pour les infractions pénales ; la saisine du juge des référés pour obtenir la suspension d'une activité particulièrement dangereuse ou – dans le secteur de la vente au détail ou de la prestation de services au consommateur – la cessation du travail dominical ; une décision d'arrêt d'un chantier en cas de risques graves de chute ou d'ensevelissement, de risques liés à des opérations de confinement et de retrait de l'amiante ; une décision d'arrêt d'activité dans certaines situations de danger lié au risque chimique ; une décision, par exemple, de retrait d'une clause illicite dans le règlement intérieur de l'entreprise...

Comparez l'esprit de cette approche, qui n'est jamais remise en question en France, ni à gauche ni à droite, avec celle qui règne au Royaume-Uni. Le gouvernement britannique a publié l'année dernière une circulaire intitulée : « Réformer le régime d'inspection du travail afin de restaurer le bon sens[1]. » Les Britanniques sont censés être obsédés par les règles de *health and safety*. Mais cette fois, l'objectif, peut-on lire, est d'éviter les inspections excessives, « pour ne pas noyer la majorité des entreprises britanniques dans la régulation et la bureaucratie inutiles ».

La France employait 1 706 inspecteurs ou contrôleurs du travail en 2008, soit presque 20 % de plus qu'en 2006. Cette même année, les inspecteurs ont effectué pas moins de 251 093 inspections dans les entreprises[2]. En France, il y a deux fois plus d'inspecteurs par salarié que le minimum conseillé par l'Organisation internationale du

---

1. « Reforming Britain's Health and Safety Regime to put Common Sense Back », Department for Work and Pensions, mars 2011.
2. « L'Inspection du travail en France », Direction générale du travail, novembre 2009.

travail (niveau auquel se trouve l'Allemagne, par exemple)[1]. Tant de règles pour protéger les salariés, tant d'inspecteurs pour contrôler ces règles... Quel bonheur d'être salarié en France.

Les Français et le travail

Les Français regardent parfois leur entreprise non pas comme de simples employeurs, mais comme un mélange de ministère des Loisirs et de Père-Noël, distribuant – *via* les comités d'entreprise – des cadeaux pour les enfants et des vacances subventionnées d'une ampleur inconnue ailleurs. Dans d'autres pays, ces institutions s'occupent principalement des horaires, conditions de travail et salaires. En France, ce réseau constitue un deuxième service social, avec un budget total de quelque 15 milliards d'euros par an. À lui seul, celui d'EDF, qui est tellement grand qu'il possède son propre comité d'entreprise, a des revenus de près de 500 millions d'euros par an à travers un prélèvement de 1 % sur les factures énergétiques en France. Il emploie 3 120 salariés permanents, et profite à plus de 650 000 bénéficiaires.

---

1. « Strategies and Practice for Labour Inspection », ILO, novembre 2006.

Mais la réglementation du marché

Pourtant, malgré ce niveau élevé de protection, les Français sont loin d'être acharnés au travail. Un Français travaille en moyenne 1 562 heures par an, contre 1 749 heures dans l'ensemble des pays de l'O.C.D.E.[1]. C'est moins que les Américains et les Britanniques, moins aussi que les Suédois, Italiens et Espagnols. Les salariés à temps plein, d'après une étude de la société de recherche COE-Rexicode, travaillent en moyenne 225 heures de moins par an qu'un Allemand[2]. Soit l'équivalent de six semaines ! Grâce à des conventions spécifiques, certains employés travaillent bien moins encore. Les contrôleurs aériens français, par exemple, bénéficient de 97 jours de congés ou de repos par an. C'est 28 jours – cinq semaines – de plus que leurs homologues travaillant à *Eurocontrol*, d'après la Cour des Comptes[3]. Quant à la semaine des 35 heures, elle est considérée ailleurs comme une bizarrerie, la marque d'une société en déni. Aucun autre pays ne l'a adoptée.

Mais ce n'est pas grave, répondent les dirigeants syndicaux, car les Français sont plus productifs. C'est exact : un Français produit en effet presque 8 % de plus qu'un Allemand sur une heure de

---

1. StatExtracts, O.C.D.E., 2010.
2. « La durée effective du travail en France et en Europe », COE-Rexicode, janvier 2012.
3. Rapport public annuel 2010 de la Cour des Comptes.

travail. Mais cela ne compense pas le faible nombre d'heures travaillées. Puisque les Français ne travaillent pas beaucoup chaque semaine, et sont moins nombreux au travail, la productivité totale, c'est-à-dire la productivité par heure multipliée par le nombre d'heures travaillées, est bien inférieure à celle de l'Allemagne. Globalement, chaque année, les Français produisent moins que les Allemands : le P.I.B. allemand est supérieur de 38 % au P.I.B. français.

Les 35 heures ont non seulement réduit le nombre d'heures travaillées et augmenté les jours d'absence grâce aux R.T.T., mais elles ont aussi modifié le rapport des Français au travail. Il n'y a qu'en France que l'on publie des livres tels que *Bonjour paresse* ou *Absolument débordée*, qui évoquent la possibilité de ne rien faire au boulot, si ce n'est, dans le second cas, pour le critiquer. Cette tradition de mépris date de l'Ancien Régime mais on la retrouve au XIXe chez de nombreux auteurs dont Paul Lafargue, qui publie un ouvrage intitulé *Le Droit à la paresse*. Il estime qu'on ne devrait travailler que trois heures par jour, pour laisser du temps à « fainéanter et bombancer ».

Il y a sans doute d'autres explications à cette culture française du mépris envers le travail, notamment les structures de management hiérarchiques.

Mais la réglementation du marché

Mais les 35 heures ont joué un rôle considérable car elles légitimisent l'objectif de travailler moins. Un dirigeant britannique d'un grand groupe américain en France m'a confié un jour, un brin provocateur, que dans ce pays, avec tous les jours de congés et R.T.T., il fallait organiser toutes les réunions importantes entre la rentrée et Noël. Car dès le Nouvel An, les périodes de vacances se succèdent sans fin : les deux semaines de vacances de février, étalées sur cinq semaines en fonction de la région. Viennent ensuite les vacances de Pâques, les jours fériés à répétition du mois de mai, ponts inclus, et puis, bien sûr, les longues vacances d'été. Quel bonheur d'être Français !

Aucun pays ne vénère autant les vacances. Tout semble parfois organisé en France autour des vacances scolaires. Les présentateurs vedettes du journal télévisé n'apparaissent pas à l'écran de tout l'été. Les installations sportives municipales ferment souvent pendant les vacances scolaires, comme si les écoliers étaient les seuls à faire du sport. Les bureaux de la Poste prennent des horaires d'été. En juillet et août, les lignes du RER modifient les horaires des trains desservant la banlieue parisienne, à croire que tout le monde part en vacances pendant les deux mois de vacances scolaires. Pourtant, seuls 29 % des ménages en France ont des enfants de moins de 18 ans[1] !

Parfois, dans ce pays rêveur, baigné d'idéalisme, on a l'impression que, dans l'inconscient collectif, le travail est plus qu'un inconvénient : c'est l'ennemi. Tout doit être fait pour le combattre, le réduire, le minimiser, afin de libérer les Français de la servitude qu'il représente. Peuple idéaliste, les Français semblent avoir plus du mal que les autres à faire face au concept du travail comme un simple moyen de gagner sa vie. Ils sont beaucoup plus nombreux que dans d'autres pays à estimer important l'« intérêt intrinsèque du travail », d'après un sondage pan-européen. Les Français ont des attentes plus prononcées par rapport à leur travail... et, par conséquent, un niveau de déception plus fort face à la réalité. Ceci expliquerait-il leur attitude négative envers le travail ? Pas moins de 66 % des Français souhaitent que le travail « prenne une place moins forte » dans leur vie, un niveau beaucoup plus élevé qu'ailleurs en Europe (36 % en Allemagne ; 25 % en Italie)[2]. À force de chercher l'épanouissement par le travail, on finit

---

1. « Ménages selon la structure familiale », INSEE, juillet 2011.
2. Lucie Davoine et Dominique Meda, « Place et sens du travail en Europe : une singularité française ? », Centre d'études de l'emploi, février 2008.

par le mépriser. Le résultat est à la fois une déprime collective et une sorte de combat permanent contre le travail.

Le culte des congés

Cela se manifeste à travers l'augmentation de l'absentéisme. Les dépenses d'indemnités journalières maladie ont atteint 15,6 milliards d'euros en 2010, en hausse importante depuis 2007. En moyenne, les Français sont en arrêt maladie 14,5 jours par an, bien plus qu'en Allemagne[1]. Dans la fonction publique française, le chiffre monte à 18,6 jours. C'est pire encore à l'hôpital, un service public qui a eu beaucoup de mal à mettre en place les 35 heures, avec 24,1 jours d'absence par personne et par an. Quant aux collectivités territoriales, dont les employés prennent en moyenne 22,6 jours pour raisons de santé – soit l'équivalent de plus de quatre semaines –, le nombre d'arrêts maladie y a augmenté de 12 % sur quatre ans. À quoi il faut ajouter qu'un fonctionnaire continue de toucher son salaire pendant ses jours d'absence, et ceci pendant trois mois. Comme

---

1. « Sick-Related Absences from Work », *Society at a Glance*, O.C.D.E., 2007.

par hasard, 54 % des absences surviennent le lundi, et 32 % le vendredi[1].

Du coup, il n'est pas surprenant qu'il existe aujourd'hui en France un véritable métier qui consiste à vérifier que les absences sont légitimes. Franck Charpentier, gérant de la société Mediverif, travaille pour le compte de 8 000 entreprises françaises. « Plus d'un arrêt sur deux est injustifié, a-t-il confié au *Parisien*[2]. Ce que l'on constate, c'est un absentéisme plus marqué dans la fonction publique hospitalière. Mais aussi, d'une manière générale, pendant les différentes vacances scolaires. J'ai en mémoire le cas d'un salarié qui, s'étant vu refuser ses vacances en juillet par son employeur, s'était fait prescrire un arrêt maladie qu'il a passé au Portugal ! » Il a aussi constaté que « les sociétés qui payent les trois jours de carence à leurs salariés subissent un absentéisme bien plus fort que celles qui ne le font pas ».

« Nous sommes des glandeurs », m'a confié un jeune kinésithérapeute, qui a monté son propre cabinet dans la région parisienne. De profession libérale, et donc non salarié, il a déjà effectué ses 35 heures hebdomadaires dès le jeudi matin de

---

1. Sandrine Gorreri et Léa Cannet, « L'absentéisme dans la fonction publique », IFRAP, 2006.

2. « Des sociétés privées traquent les faux malades », *Le Parisien*, 15 novembre 2011.

chaque semaine, mais continue pourtant jusqu'au vendredi soir. Il ne supporte pas l'attitude de ses compatriotes. Car ce sont seulement les salariés protégés qui profitent du système. Alors que les artisans, les agriculteurs, les professions libérales et bien d'autres travaillent beaucoup plus.

D'après l'étude COE-Rexicode, la France est tout en bas du classement européen quant au nombre d'heures travaillées par salarié. Mais lorsqu'on regarde le chiffre pour les non-salariés, qui travaillent à leur compte et ont besoin de faire le maximum possible, les Français se situent vers le haut du classement.

Trop de contrôles, trop de protection, pas assez de temps passé au travail : voilà ce qui décourage la création d'emplois en France. Le dirigeant d'un grand groupe de fast-food a comparé un jour devant moi les niveaux d'emploi dans ses restaurants des deux côtés de la Manche : en moyenne, il emploie un tiers de personnel en plus dans ses restaurants de Grande-Bretagne par rapport à ceux de France. Compte tenu des contraintes, pas question pour lui d'embaucher plus que le minimum de salariés en France ! C'est dramatique.

Le déni français

La précarité n'équivaut pas à la justice sociale

Mais ces postes à faibles salaires ne sont pas ceux que souhaitent les Français, dira-t-on. Je me souviens d'une longue conversation avec un conseiller économique à la mairie de Lille, fief de Martine Aubry. Il m'a expliqué qu'il valait mieux tolérer un taux de chômage élevé que créer davantage de travail s'il est indigne. Mais où réside la dignité avec un tel taux de chômage ? Est-ce digne d'être abandonné à l'assistance faute de pouvoir trouver un emploi ? Les jeunes sont de plus en plus exclus du marché de l'emploi à cause de la surprotection des CDI. Comme c'est trop contraignant d'employer quelqu'un en CDI, beaucoup d'entreprises ont recours aux CDD ou à l'intérim. Ce sont de vrais emplois précaires ! Le résultat de la surprotection des CDI est la création d'une génération qui accumule les emplois précaires par défaut. En 2010, pas moins de 35 % des salariés français âgés de moins de 24 ans travaillaient en CDD ou en intérim. Pour les plus de 50 ans, cette proportion tombe à 6 %[1]. Cette segmentation du marché n'a aucune raison de s'améliorer car la probabilité de changer de bord diminue. Entre 1995 et 2010, d'après la

---

1. Anne Mansuy et Loup Wolff, « Une photographie du marché du travail en 2010 », INSEE, février 2012.

Commission européenne, la probabilité de passer d'un contrat à durée déterminée à un contrat à durée indéterminée a chuté de 45 % à seulement 12,8 %, soit nettement en dessous de la moyenne de l'U.E. (25,8 %)[1]. Les jeunes sont donc les premières victimes de cette situation, condamnés aux emplois précaires que le système de protection est justement censé éviter.

Ces emplois à faibles salaires, snobés par le conseiller de Lille, peuvent pourtant permettre à un jeune de maintenir le lien avec le monde du travail, un lien qui est vite détruit chez un chômeur de longue durée. Et ces emplois peuvent aussi ouvrir d'autres portes. En France, un des vecteurs de mobilité le plus inattendu est la société de fast-food américaine McDonald's. Contrairement à la perception générale, l'entreprise forme des jeunes – et souvent des jeunes issus de la diversité – et permet à ceux qui sont motivés de progresser. Plus de 80 % des employés sont en CDI, et 67 % des managers ont moins de 30 ans. Un des directeurs-adjoints d'un McDo témoigne qu'il a rejoint le restaurant en tant qu'équipier (celui qui travaille à la caisse ou en cuisine) à l'âge de 18 ans. Le groupe lui a donné la possibilité d'évoluer assez rapidement car, en cinq ans, il a été promu à son poste actuel.

---

1. Commission européenne, *op. cit.*

En 2011, McDonald's a signé une convention avec l'Éducation nationale, qui reconnaît le travail d'équipier comme l'équivalent d'un CAP en attribuant à l'employé une validation des acquis de l'expérience (VAE). Une étude menée à Clichy-sous-Bois, en banlieue parisienne, par Gilles Kepel pour l'Institut Montaigne, a souligné l'importance du McDo local comme lieu de valorisation pour les jeunes[1]. Employeur de plus de 50 personnes, ce symbole de l'impérialisme américain constitue en réalité une sorte d'école de la deuxième chance.

Pendant une crise comme celle d'aujourd'hui, l'absence de souplesse du marché du travail français met l'employeur dans une position très difficile. Dans une étude comparative de deux entreprises, l'une française et l'autre allemande, de la même taille et dans le même secteur industriel, Henri Lagarde, ancien homme d'affaires chez Thomson Électroménager, puis Royal Canin, a soumis les comptes de chaque entreprise à un « stress test » – un chiffre d'affaires en perte de 35 % – afin de tester les conséquences dans les deux pays voisins[2]. Suite à ce choc, l'entreprise française est obligée de demander la

---

1. Gilles Kepel, « Banlieue de la république », Institut Montaigne, 2011.

2. Henri Lagarde, *France-Allemagne, du chômage endémique à la prospérité retrouvée*, Presses des Mines, 2011.

permission de mettre 28 salariés au chômage technique. Elle doit constituer tout un dossier auprès de l'inspection du travail afin de respecter les procédures nationales et d'obtenir son accord. Par contre, grâce au large éventail de mécanismes allemands assurant une grande flexibilité sociale, l'entreprise d'outre-Rhin peut, sous quarante-huit heures, mettre au chômage partiel 29 salariés… qu'elle peut toutefois rappeler au travail dès la reprise des affaires. La société peut aussi choisir de modifier le temps de travail ou les salaires selon ses besoins, en accord, évidemment, avec le conseil d'entreprise et le syndicat local. Tout ou presque est négocié entre l'entreprise et le syndicat local dans un esprit nettement moins conflictuel qu'en France.

Durant la crise actuelle, les employeurs allemands ont ainsi pu maintenir le niveau de l'emploi en réduisant le nombre d'heures travaillées par employé. Et ce après des négociations entre patrons et syndicats. Les Allemands ont donc privilégié le maintien de l'emploi, estimant que ce choix est celui qui donne, aux employeurs comme aux employés, le plus de chance de revenir aux horaires habituels, et donc aux revenus d'avant la crise. Une perte d'emploi et un licenciement seraient bien pires. Du coup, en Allemagne, la récession actuelle ne s'est pas traduite par une hausse du chômage. En revanche, lors du pic du mois de mai 2009, plus de 1,5 million d'employés allemands ont dû se résoudre à une activité partielle, avec une réduction moyenne de leur temps de travail de 31 %.

La préférence consternante pour le chômage

La réalité, c'est qu'il existe en France, comme l'ont remarqué depuis longtemps les économistes Pierre Cahuc et André Zylberberg[1], un dualisme du marché du travail : un secteur où les emplois sont bien protégés et sécurisés, privant les employeurs de souplesse pour créer et maintenir ces emplois, et un autre secteur, composé en grande partie de jeunes et de femmes non qualifiées – trop souvent, ceux issus de l'immigration –, qui sont exclus du premier et qui travaillent dans la précarité. Le secteur public, dans lequel les fonctionnaires ont un statut particulier qui les protège encore davantage, n'est que l'extrémité du spectre dans le secteur sécurisé.

Autrement dit, le pays a fait le choix de protéger ceux qui ont un emploi, quitte à décourager la création d'emplois. Les économistes appellent ce choix la « préférence pour le chômage ». Pendant

---

1. Voir par exemple, Pierre Cahuc, Stéphane Carcillo, Olivier Galland et André Zylberberg, « Quelques propositions pour l'emploi des jeunes » dans *Réformer par temps de crise*, Les Belles Lettres, 2012.

la campagne électorale, Nicolas Sarkozy s'est vanté du fait que la France n'avait pas connu une augmentation du chômage aussi importante que d'autres pays européens pendant la crise de la zone euro. Mais il a oublié d'ajouter que le niveau de chômage n'est pas non plus redescendu aussi bas qu'ailleurs. Le chômage structurel est un choix que le pays a fait pour préserver son marché du travail si réglementé.

Lorsque la France décide d'institutionnaliser l'assistanat d'une partie de la population active, peut-on parler de justice sociale ? Lorsque la France décide de créer ce marché de l'emploi à deux vitesses, excluant des jeunes et des femmes non qualifiées – parfois unique support d'une famille monoparentale –, où est la protection de l'emploi pour ceux qui ont de moins en moins de chance de s'en sortir ?

Avec un tel système qui décourage la création d'emplois, toutes les politiques de retour à l'emploi et toutes les politiques de formation ne peuvent que se heurter à des difficultés. On peut former autant de jeunes que l'on veut, si l'économie ne crée pas d'emplois, ces jeunes ne trouveront pas d'emploi stable et non subventionné.

À juste titre, les Français sont fiers de leur société moins inégale que les pays anglo-saxons. Le taux de pauvreté, mesuré comme la part de population qui dispose d'un revenu inférieur à 60 % du revenu médian, après taxes et transferts sociaux, s'établit à 13,5 %[1]. Cela est inférieur au taux des États-Unis, du Royaume-Uni, et même légèrement inférieur à celui de l'Allemagne. Mais il existe néanmoins 8 millions de Français qui vivent sous le seuil de pauvreté, et 2,7 millions de personnes au chômage. Ce n'est pas simplement la faute de la crise, qui n'a fait qu'aggraver encore le problème. En 2007, avant même que la crise mondiale ne frappe le pays, il y avait plus de 2,4 millions de chômeurs en France et un taux de chômage de 8,4 %.

La France restera structurellement incapable de créer assez d'emplois tant qu'elle maintiendra une réglementation aussi contraignante. Le système qui est censé protéger les employés ne le fait que pour les *insiders*. L'accablante préférence française pour le chômage qui en découle est la première injustice sociale et la preuve que le système n'est pas protecteur. Les chômeurs, les intérimaires, les jeunes en CDD précaires sont les témoins à charge d'un système qui en protège certains... mais en exclut tous les autres.

---

1. Chiffres issus de la base de données de l'O.C.D.E. sur le taux de pauvreté.

7

Alléger la réglementation du marché du travail, ce serait faire un cadeau aux entreprises

Les Français ont beau avoir donné à la langue anglaise le mot « entrepreneur », ils ne valorisent guère leurs propres entreprises et leurs dirigeants. Les Américains vénèrent Steve Jobs ou Mark Zuckerberg. Ils ont placé trois hommes d'affaires, Warren Buffett, Donald Trump et Bill Gates, dans le top 10 des leaders les plus admirés en 2011. Mais plus de 6 Français sur 10 ont une mauvaise image de leurs grands patrons, d'après un sondage de TNS-Sofres pour l'Institut de l'entreprise, considérant qu'ils s'occupent d'abord de leur carrière personnelle (38 %) et des actionnaires (35 %), ensuite

de leur entreprise (19 %), et – très loin derrière –
de leurs salariés (3 %)[1]. Les mots spontanément
cités à leur égard sont majoritairement négatifs : au
premier rang, le mépris.

La France possède quelques-unes des plus belles
entreprises du monde et ce dans tous les secteurs :
le luxe, la finance, l'automobile, l'assurance, l'agroa-
limentaire, l'aéronautique, les cosmétiques, les
médias, l'hôtellerie, le nucléaire civil. Il s'agit de
sociétés qui sont mondialement reconnues et respec-
tées, et qui font honneur à la France. Le pays compte
plus d'entreprises dans le classement Fortune 500
que l'Allemagne et le Royaume-Uni[2]. Nous, les Britanniques, nous serions ravis de posséder une telle
ribambelle de grandes marques… et pourtant, vous
ne les appréciez pas à leur juste valeur.

Les Français sont parmi les peuples qui se méfient
le plus du système capitaliste, un système qui a
pourtant permis à toutes ces entreprises de prospérer
et qui a fait de leur économie la cinquième puissance
mondiale. Selon l'enquête GlobeScan, qui est
menée chaque année dans plusieurs pays du monde,
pas moins de 41 % des Français considèrent que le
système capitaliste est totalement défaillant et que

---

1. « L'Image des dirigeants de grandes entreprises françaises », TNS-
Sofres, janvier 2011.
2. « Global 500 Annual ranking of the World's Largest Corpora-
tions », *Fortune*, 2011.

l'on devrait le remplacer par autre chose, contre seulement 9 % des Allemands[1]. À cet égard, les Français sont vraiment à part. Ni les Allemands, ni les Britanniques, ni les Américains, ni les Chinois ne sont aussi hostiles au capitalisme que les Français. Et ce constat résiste au temps et aux crises. En dix ans de sondages par cet institut, aucun autre pays n'a exprimé une telle méfiance, de façon aussi constante.

Il s'agit d'une véritable contradiction nationale : les Français profitent d'un système qu'ils prétendent détester. La France est en réalité un pays très ouvert. Un tiers des employés du privé travaillent pour des entreprises étrangères, et celles-ci sont très appréciées des Français. Les entreprises françaises sont installées partout dans le monde ; l'une d'entre elles, Sodexo, est restaurateur auprès des Forces armées des États-Unis ; une autre, Fitch, est une de ces agences mondiales de notation que les Français prétendent mépriser. Au palmarès français des entreprises où il fait bon travailler (palmarès réalisé à partir de questionnaires remplis par les salariés eux-mêmes), les trois premières places sont occupées en 2012 par des entreprises non pas françaises mais américaines : PepsiCo, Microsoft et Mars

---

1. « Economic System Seen as Unfair : Global Poll », GlobeScan, avril 2012.

Petcare & Food[1]. Il suffit de s'aventurer dans un de ces immenses hypermarchés – une invention française – pour constater qu'en réalité les Français ne sont pas si hostiles aux fruits du libre-échange mondial. Un petit saut au Carrefour de Montesson, dans la banlieue ouest parisienne, confirme l'enthousiasme secret des Français pour les produits de ce système capitaliste : une vingtaine de variétés de jus de fruits frais Tropicana, de la société américaine PepsiCo, ou des rayons entiers consacrés aux iPad, iPhone, consoles Wii, Xbox, Playstation ou autres marques mondiales. Pas très loin de cet hypermarché, le McDonald's Drive connaît toujours un succès fou, avec son New York burger ou le Texas burger. Anti-capitalistes, les Français ?

L'argent diable

Décrypter ce paradoxe est la clé pour comprendre pourquoi les Français sont si hostiles aux mesures visant à redynamiser la croissance si elles semblent – comme une baisse des charges patronales – favoriser les patrons. L'explication la plus simple se trouve dans le comportement peu exemplaire de

---

1. « Le palmarès des entreprises où il fait bon travailler », Great Place to Work, 2012.

quelques dirigeants, notamment leurs salaires excessifs, pendant la crise actuelle. Certains P.-D.G., y compris dans les banques, ont mis trop longtemps à comprendre que leurs rémunérations extravagantes choquaient l'opinion publique en pleine crise financière. Ce problème est amplifié par le phénomène du pantouflage. La tradition bien française de nommer des hauts fonctionnaires – parfois brillants mais n'ayant jamais pris aucun risque commercial – à la tête de grandes entreprises publiques nuit elle aussi à l'image des grands patrons. Un entrepreneur qui s'est fait lui-même n'est pas vu du même œil qu'un inspecteur des finances reconverti en grand patron. Du coup, les Français ont très peu de patrons modèles, self-made et source d'inspiration pour les jeunes.

Mais rien n'est si simple. En réalité, à part quelques exceptions, les salaires des patrons français ne sont pas aussi extravagants que ceux de leurs homologues américains ou britanniques, ou même allemands, pour ne pas parler des traders qui ne sont même pas des patrons. Loin de là. La rémunération totale moyenne, options et actions comprises des quarante patrons du CAC 40, s'est élevée en 2010 à 4,1 millions d'euros[1]. Les cinq P.-D.G. les mieux

---

1. « Rapport sur la rémunération des dirigeants », Proxinvest/ECGS, février 2012.

payés en 2010 ont reçu : 10,7 millions d'euros (Jean-Paul Agon, L'Oréal) ; 9,7 millions d'euros (Bernard Arnault, LVMH) ; 9,7 millions d'euros (Carlos Ghosn, Renault) ; 9,5 millions d'euros (Bernard Charlès, Dassault Systèmes) et 6,2 millions d'euros (Maurice Lévy, Publicis).

Ces sommes sont énormes. Pourtant, comme nous l'avons vu précédemment (voir chapitre 5), ces P.-D.G. français restent loin des rémunérations stratosphériques de leurs homologues américains. L'année dernière, les 500 dirigeants américains les mieux payés ont reçu en moyenne 10,5 millions de dollars de rémunération, d'après Forbes, soit deux fois la moyenne des 40 dirigeants les mieux payés en France. Et ceux qui figurent en haut de ce palmarès américain ont été rémunérés à un niveau tout simplement inédit en France : 131 millions de dollars (John Hammergren, McKesson), 67 millions de dollars (Ralph Lauren), 64 millions de dollars (Michael Fascitelli, Vornado Realty), 61 millions de dollars (Ralph Kinder, Kinder Morgan) et 56 millions de dollars (David Cote, Honeywell International). Ce sont ces salaires-là qui choquent les Américains, et ils sont beaucoup plus extravagants que ceux pratiqués en France. D'après une étude de Proxinvest, la rémunération moyenne des P.-D.G. français ne représente que 50 % de celle de leurs collègues britanniques, 70 % de celle de leurs homologues italiens, 80 % de celle de leurs voisins espagnols, suisses ou allemands[1]. Nous, Britanniques, nous avons bien plus de raisons de critiquer les salaires de nos P.-D.G.

En réalité, ce ne sont pas les salaires eux-mêmes qui semblent poser problème aux Français, mais les écarts de salaires entre les dirigeants et les salariés. Bien que les inégalités, comme nous l'avons vu, soient moins marquées en France qu'ailleurs, le concept d'égalité – la devise de la République et l'« âme de la France » d'après François Hollande – est si profondément ancré dans l'inconscient collectif que les Français tolèrent moins ces écarts que les autres citoyens, d'Europe ou d'ailleurs. L'égalité passe avant les autres devises de la République. « Le désir du privilège et le goût de l'égalité, passions dominantes et contradictoires des Français de toute époque » disait de Gaulle[2]. C'est une caricature, mais elle contient sa part de vérité : un Américain regarde le salaire d'un Bill Gates et pense : ça pourrait être moi ; un Français regarde celui de Maurice Lévy et pense : ce n'est pas juste.

Au fond, que ce soit à cause d'une culture marquée par le catholicisme ou du fait de l'héritage

---

1. Proxinvest, *op. cit.*
2. Charles de Gaulle, *La France et son armée*, Plon, 1938.

révolutionnaire, la création de la richesse n'est pas valorisée en France comme elle l'est aux États-Unis, ou même au Royaume-Uni. La conception française de l'égalité, affirmée dès le premier article de la Constitution de la Ve République, ne se limite pas simplement à donner à chacun une chance de réussir. Afin de préserver la cohésion sociale, elle veille à ce que certains ne réussissent pas trop bien. On entendra rarement un homme politique français, de droite comme de gauche, se permettre un commentaire comme celui proféré un jour par Peter Mandelson, ancien ministre travailliste. Il se disait « tout à fait à l'aise avec les gens qui deviennent immensément riches, du moment qu'ils payent leurs impôts ». En France, si vous êtes riche, mieux vaut ne pas vous en vanter.

Les Français aiment bien vivre et souhaitent que leurs enfants progressent et bénéficient d'une vie meilleure. Mais ils ont horreur d'évoquer l'Argent, que ce soit à travers leurs salaires ou leurs patrimoines. Dans *Le Point*, Alain Duhamel a brillamment disséqué une fois cette phobie : « Le riche incarne le mal, l'argent représente le diable. » Il retrace cette révulsion nationale à travers la littérature française, de Molière (« le parvenu devient le comble du grotesque ») à Chateaubriand et Balzac (qui « fait de l'argent le venin qui altère toute la société »), jusqu'à Zola (qui « n'a pas son pareil pour transformer le banquier en symbole de l'avidité et de la turpitude »). « Malheur au monarque ou à l'homme politique qu'on associe à l'argent… Créer la richesse avant de la redistribuer. La richesse est l'injustice suprême, l'héritier personnifie le péché[1]. »

Créer la richesse avant de la redistribuer

Pour les Français, la richesse n'est pas quelque chose à créer, encore moins à exhiber ; c'est quelque chose à cacher pour ceux qui en ont, ou à redistribuer pour ceux qui n'en ont pas. Dans ce contexte, le capitalisme et la mondialisation ne correspondent pas à l'image que se font les Français de la civilisation et de la « longue marche du progrès » pour tous. Par conséquent, les Français résistent à ce système en théorie – pour ne pas renoncer à leur propre conception du progrès humaniste – tout en l'acceptant dans les faits.

En outre, le monde des intellectuels est particulièrement marqué à gauche en France. Écoutez le langage qu'utilisent les médias et les hommes politiques, digne d'une pensée quasi marxiste. Ils opposent souvent « le capital et le travail », font

---

1. Alain Duhamel, « L'argent-diable », *Le Point*, 1er juillet 2010.

référence à la « classe dirigeante » ou au « mouvement ouvrier » ; ils parlent de « taxer le capital ».
Cet état d'esprit imprègne jusqu'à certains manuels
scolaires en sciences économiques et sociales (SES),
qui présentent parfois les entreprises sous un jour
peu favorable et qui insistent sur le conflit entre les
patrons et les employés. La série « Histoire du
XXᵉ siècle », pour ne prendre qu'un exemple, décrit
le capitalisme successivement comme « brutal » et
« sauvage ». Le programme de SES se décline à
travers des chapitres tels que « Clivages sociaux
et inégalité », « Mobilisation sociale et conflit »,
« Pauvreté et exclusion ». Dans une telle optique,
les entreprises sont souvent à l'origine des conflits
et elles creusent les inégalités dans le monde. Mais
elles sont rarement à l'origine de l'innovation ou
du progrès économique ou matériel.

Rares sont les hommes politiques qui s'opposent
à ces idées reçues et qui essaient de convaincre
les Français des avantages de la mondialisation,
ou du bénéfice apporté au pays par des entreprises
rentables. Au contraire, les slogans repris pendant
les campagnes électorales, à droite comme à gauche,
renforcent cette hostilité envers le monde des
entreprises. Le capitalisme financier est l'ennemi
à combattre. Les patrons ont des rémunérations
indécentes. Les entreprises ont besoin d'être

« moralisées ». Ainsi, le ministre du Redressement productif, Arnaud Montebourg, a intitulé son livre best-seller *Votez pour la démondialisation*[1] *!* Jack Dorsey, le jeune créateur américain de Twitter, a été reçu avec enthousiasme par François Hollande et Nicolas Sarkozy lors de la campagne électorale. Mais jusqu'où faut-il remonter pour trouver un homme politique français applaudissant un entrepreneur français ?

La France, pays de victimes

Au lieu d'encourager les Français à prendre des initiatives, à oser, à développer leurs ambitions, la classe politique ne cesse de leur répéter qu'ils sont des victimes : de la mondialisation, de la finance, des spéculateurs, de l'Europe, de l'euro, de la BCE, et j'en passe. Ce message est repris par les médias qui présentent la France comme la victime d'un système capitaliste qui ne fait que détruire des emplois industriels sans rien rapporter aux Français ou au monde. La mondialisation est donc vécue d'abord comme une agression. Les médias, qui présentent, comme nous l'avons vu, plus souvent le

---

1. Arnaud Montebourg, *Votez pour la démondialisation !*, Flammarion, 2011.

point de vue des salariés que celui des consommateurs, parlent systématiquement des pertes d'emplois industriels, mais beaucoup plus rarement d'un nouvel investissement en France, ou d'une start-up française qui réussit. Cela a contribué à un climat anxiogène et méfiant vis-à-vis de l'entreprise et des patrons qui date de bien avant la crise.

En ce qui concerne l'emploi industriel, il est vrai que la France a peiné à faire face à la concurrence mondiale. Depuis dix ans, la France est confrontée à une perte d'emplois manufacturiers plus forte que l'Italie ou l'Allemagne. La valeur ajoutée dans l'industrie ne représente plus que 19 % du P.I.B. français. L'effet est réel et douloureux pour ceux qui sont touchés directement ; la perte du tissu industriel en France est d'ailleurs un des principaux défis des années à venir. De même, les grands groupes français du CAC 40 sont de plus en plus orientés vers des marchés extérieurs et de moins en moins créateurs de nouveaux emplois en France.

Mais, compte tenu de la qualité de sa main-d'œuvre, des investissements réalisés dans la recherche et l'innovation et du bon niveau de ses infrastructures, rien ne justifie que la France se désindustrialise plus que les autres à cause de la mondialisation. L'Allemagne, exposée au même phénomène que la France, maintient à 28 % la part de l'industrie dans son P.I.B. Comme le souligne une étude de Patrick Artus, économiste à la banque Natixis, « la désindustrialisation de la France vient d'erreurs de politique économique et de facteurs institutionnels défavorables », pas d'une fatalité liée au processus de la mondialisation et à la concurrence internationale[1].

Mais ce message-là n'est pas relayé par les hommes politiques. Ils préfèrent présenter les Français comme des victimes. Et si les Français sont des victimes, c'est qu'il doit y avoir des coupables. Faites entrer l'accusé : le patron français, petit ou grand, est transformé en vilain. Et cette méfiance à son égard se traduit par une réticence, voire de l'hostilité, envers toute politique qui pourrait apparaître comme une aide aux patrons, ainsi que nous avons pu le constater lors du débat sur la réduction des charges patronales début 2012.

Les patrons français ne sont pas tous des voyous

Hormis ceux qui gèrent le CAC 40, qui sont vraiment ces patrons français si détestés ? Quelles sont les contraintes pesant sur le maintien de l'activité ou la création de l'emploi en France ? Est-ce

---

1. Patrick Artus, « D'où viennent les pertes d'emplois industriels dans les pays de la zone euro ? », Natixis, 26 octobre 2011.

que le système français n'est vraiment pour rien dans cette perte sans fin d'emplois industriels ? Petite visite dans la France profonde.

Parmi des champs de blé et de colza, dans la petite ville bourguignonne de Donzy, est installée l'usine de fabrication de parapluies Guy de Jean. Dans un bâtiment simple juché sur une colline en dehors de la ville, la société fabrique à peu près 150 000 parapluies par an. Certains sont réalisés pour les marques Jean-Paul Gaultier, Chantal Thomass et Ladurée ; d'autres sont vendus sous la marque Guy de Jean dans des grands magasins comme Harrods ou Fortnum & Mason à Londres. Lors de ma première visite de cette usine il y a quelques années, j'ai demandé au patron, Pierre de Jean, âgé aujourd'hui de cinquante-deux ans et fils du fondateur, comment il faisait pour garder un tel site de fabrication en France. « Par goût et par folie », a-t-il répondu, un brin ironique.

Il y a quinze ans, ce patron doux et discret a pris la décision de maintenir en France un site de production spécialisé dans les parapluies haut de gamme, et de ne délocaliser que la production de base. Le choix était courageux. D'autres patrons français du secteur décidaient à cette époque de transférer la totalité de leur production vers des pays où la main-d'œuvre était moins chère. Mais Pierre de Jean voulait garder la tradition familiale de fabrication en France, depuis que son père, jeune styliste Nouvelle Vague, s'était installé à Donzy pour créer la société en 1962.

Pierre de Jean, c'est le contraire de la caricature du patron français. Ce n'est ni un rentier, ni un financier. C'est un entrepreneur installé dans la France profonde, attaché à l'idée de maintenir dans le pays un savoir-faire industriel et artisanal, reposant sur la créativité et la qualité au sein du marché haut de gamme.

« Nous avons le savoir-faire, et nous avons développé notre propre marque avec nos propres créateurs », m'a-t-il expliqué. À Donzy, l'entreprise se spécialise dans la fabrication des articles originaux, avec des tissus roses et mauves fantaisie et des poignées stylées. Le *Made in France* est devenu un atout pour sa marque, résumé dans la phrase – en anglais – imprimée sur certains de ses parapluies destinés à l'export : *Lovingly created in artisanal France* (créé avec amour dans la France artisanale).

Mais Pierre de Jean disait déjà clairement que la réglementation française du marché du travail ne l'aidait pas dans sa tâche. « Nous avons dû nous adapter mais cela a un prix – les charges sociales –, et nous avons eu peur d'embaucher. » Il y a cinq ans, pour un chiffre d'affaires de 2 millions d'euros, il n'employait que dix-huit personnes.

Au début de 2012, j'ai de nouveau rendu visite à M. de Jean pour voir comment il affrontait cette période rude pour l'industrie. Il est toujours là, ce qui est déjà une bonne nouvelle. Mais pour combien de temps ?

« Nous nous battons pour maintenir ce site en France, mais nous n'avons aucune intention d'embaucher plus de salariés ici, m'a-t-il dit. Chaque emploi que nous créons est pratiquement un emploi donné pour la vie. À cause des charges sociales et des problèmes des lois sur le personnel en France, nous délocalisons les commandes supplémentaires en Asie. » Son entreprise travaille maintenant avec deux sites en Chine, à Xiamen. Alors qu'en 2007 elle fabriquait les deux tiers de ses parapluies sur le site de Donzy, aujourd'hui, près des trois quarts sont *Made in China*.

Plus consternant, il m'a expliqué que l'usine doit fermer ses portes le vendredi à midi à cause de la loi sur les 35 heures, et qu'il n'arrivait pas à convaincre tous ses employés de rester au travail l'après-midi – même pour effectuer des heures supplémentaires défiscalisées. « La plupart veulent bien, à la rigueur, de temps en temps, effectuer une heure de travail supplémentaire un jour de la semaine, mais le vendredi après-midi est devenu sacro-saint et ils préfèrent le passer chez eux ou aller ailleurs, m'a-t-il dit. En 2009, j'ai perdu des clients, car je ne

pouvais pas augmenter la production sur le site. »
Au lieu d'embaucher, il a renoncé à ces nouveaux
contrats.

Quelque chose ne va pas quand une entreprise,
comme celle de Pierre de Jean, n'augmente pas ses
effectifs même pour satisfaire une demande. Ce
n'est pas un patron comme les Français aiment les
détester. Il veut bien gagner sa vie. Mais il a un
petit bureau modeste qui donne directement sur le
site de production. Son épouse, Catherine, travaille
sur le site avec lui. Elle a grandi à Château-Chinon,
ville dont le maire a longtemps été François Mitterrand, et toute sa famille votait socialiste.

Les entreprises françaises ne grandissent pas

Quand on regarde les chiffres de près, on
constate quelque chose de curieux dans le paysage
entrepreneurial français. Le problème ne se situe
plus au niveau d'une bureaucratie qui découragerait
l'entrepreneur : lancer une entreprise en France
n'est plus aussi difficile aujourd'hui. Sous Christine
Lagarde, alors ministre des Finances, et Hervé
Novelli, ministre de l'Industrie, l'introduction du
statut d'auto-entrepreneur a beaucoup simplifié les
procédures. Auparavant, enregistrer une société en
France représentait une véritable bataille avec la

bureaucratie française. C'est fini. Aujourd'hui, cela prend seulement sept jours en moyenne pour enregistrer une société en France, ce qui est moins long qu'en Grande-Bretagne ou en Allemagne[1]. Par conséquent, les Français sont devenus des entrepreneurs zélés. Plus d'un million d'entrepreneurs ont lancé des sociétés en France grâce à ce statut. C'est un chiffre remarquable. Voici pour la bonne nouvelle.

Le problème commence après. Car la plupart de ces entreprises ne recrutent pas assez de salariés et ont du mal à s'agrandir. La taille moyenne d'une société française est de 14 personnes, contre 41 personnes en Allemagne. En France il existe 8 480 entreprises industrielles de 50 personnes et plus ; en Allemagne, le chiffre est de 20 340 – plus de deux fois plus[2]. Les entrepreneurs français préfèrent rester petits, alors que les Allemands continuent de grandir !

Une étude économique réalisée par Luis Garicano, Claire LeLarge et John Van Reenen, de la London School of Economics, montre un fait particulièrement saisissant : le nombre d'entreprises d'une taille de 49 personnes est beaucoup plus

---

1. « Doing Business 2011, Making a Difference for Entrepreneurs », O.C.D.E., 2011.
2. Henri Lagarde, *op. cit.*

élevé en France que le nombre d'entreprises qui emploient 50 personnes[1]. Ce n'est pas le cas ailleurs et ce n'est pas non plus un hasard. Car en France, à partir de 50 employés, les règles régissant les relations entre employeurs et salariés au sein de l'entreprise commencent à peser beaucoup plus lourd. Le passage de 49 à 50 salariés entraîne l'application de trente-quatre législations et réglementations supplémentaires, d'après le rapport de la Commission pour la libération de la croissance, présidée par Jacques Attali[2]. À partir de cette taille, une société doit, par exemple, constituer un comité d'entreprise avec réunion au moins tous les deux mois, allouer un crédit de dix heures tous les mois au délégué syndical (payé par l'employeur) pour exercer ses fonctions syndicales, et constituer un comité d'hygiène, de sécurité et des conditions de travail tout en formant ses membres.

Dans le chapitre précédent, nous avons vu la conséquence de la lourde réglementation qui pèse sur la création d'emplois en France. Pour les Français, cette absence de flexibilité a des conséquences néfastes, notamment le niveau du chômage trop

---

1. Luis Garicano, Clare Lelarge et John Van Reenen, « Firm Size Distortions and the Productivity Distribution : Evidence from France », LSE work in progress, 2011.

2. Jacques Attali, « Rapport de la Commission pour la libération de la croissance française », *La Documentation française*, 2008.

élevé et des emplois précaires pour les jeunes. Mais les conséquences sont tout aussi dramatiques pour l'entrepreneur car cela décourage l'expansion de sa société, nuit à sa rentabilité, et donc à la croissance économique du pays.

À cet égard, l'étude faite par Henri Lagarde est particulièrement éclairante. Cet ancien chef d'entreprise a analysé dans le détail les comptes de deux entreprises, une française et une allemande, concurrentes dans un même secteur industriel : la production des acides aminés, obtenus par hydrolyse des protéines, destinés aux industries pharmaceutiques et de la nutrition-santé. Les deux sociétés existent réellement, elles ne sont pas le fruit d'une comparaison théorique. Et elles sont très similaires, chacune ayant un chiffre d'affaires avoisinant les 18 millions d'euros et employant un peu moins de 100 personnes.

L'élément le plus dérangeant dans cette micro-étude est le suivant : pour un même chiffre d'affaires net, l'entreprise française dégage une marge de 7 %... contre 17 % pour la société allemande. Autrement dit, à chiffre d'affaires équivalent, l'entreprise française ne réalise que 1,3 million d'euros de profit, alors que son homologue allemande en fait 3 millions.

L'étranglement de la force industrielle

Contrairement à ce que certains pourraient penser, il n'y a aucune raison de se féliciter de ce peu de profit. Car que fait l'entreprise allemande de ses marges bien plus importantes ? Elles ne vont pas dans la poche du patron. La société utilise cet argent pour investir dans son avenir et garantir sa pérennité et ses emplois. Ce que ne peut pas faire l'entreprise française. En 2011, le taux de marge sur chiffre d'affaires pour les entreprises françaises, CAC 40 mis à part, est tombé à son niveau le plus bas enregistré depuis vingt-cinq ans, alors que celui des entreprises allemandes continue de progresser[1]. C'est dramatique pour la croissance du pays et, en ce qui concerne les exportateurs, pour le déficit commercial qui ne cesse de se dégrader.

Comment expliquer un écart de marges si important ? Henri Lagarde a scruté les comptes des deux entreprises en 2010. Première explication : la fiscalité plus lourde en France. Alors que l'entreprise française supporte un taux réel de fiscalisation de 48 %, le montant total des impôts à acquitter s'élève à 26 % pour son homologue allemande. Comme l'écrit l'étude : « Le minutieux travail de

---

1. « Décomposition du taux de marge des entreprises non financières », INSEE, mai 2012.

167

comparaison *pro forma* auquel nous nous sommes livrés montre à quel point les affirmations qui circulent dans les médias ou l'administration, selon lesquelles la fiscalité des entreprises serait d'un niveau comparable de part et d'autre du Rhin, sont erronées. »

Une autre différence majeure saute aux yeux. D'après les comptes audités des deux entreprises, le taux réel des charges patronales, toutes niches sociales déduites, représente 38 % des salaires bruts dans l'entreprise française, contre seulement 17 % chez son concurrent allemand. Ce sont des coûts supplémentaires que l'employeur français doit payer pour gérer le même business, dans la même industrie que son concurrent allemand.

C'est un lourd handicap. La fiche de paie française le démontre tous les mois aux salariés. Nous, les étrangers, sommes toujours stupéfaits la première fois que nous apercevons une fiche de paie française. Au lieu de trois lignes de charges et taxes, comme c'est le cas en Angleterre, ou cinq petites lignes en Allemagne, il existe plus d'une trentaine de lignes en France, parfois sur deux pages. Pour l'employeur, cotisations accident du travail, sécurité sociale, Pôle emploi, retraite, C.S.G., mutuelle et autres. Pour le salarié : cotisation assurance-maladie, maternité, invalidité, décès ; assurance vieillesse (retraite du régime général) ; contribution sociale généralisée (C.S.G.) ; contribution au remboursement de la dette sociale (C.R.D.S.) ; assurance chômage ; retraite complémentaire.

Comme nous l'avons déjà constaté, la France est la championne des charges sociales payées par les employeurs et les employés. C'est le pays où ces charges sont les plus lourdes, pour un employé avec enfants, parmi tous les pays membres de l'O.C.D.E., y compris la Suède.

En France, les deux tiers du financement de la Sécurité sociale reposent sur le travail. L'employeur rajoute en moyenne 39 % du salaire de son employé pour les charges patronales, alors que son homologue allemand ne paye que 19 %, d'après des calculs de la Cour des Comptes[1]. Et non seulement ces charges pèsent plus lourd en France, mais elles augmentent encore. Entre 2000 et 2008, sous des gouvernements de gauche comme de droite, le poids des cotisations sociales a grimpé en France alors qu'il a baissé en Allemagne. La France taxe de plus en plus le travail ; l'Allemagne, elle, a fait le choix d'alléger cette charge.

Le vrai drame de la France, c'est que cela coûte trop cher d'embaucher… sans pour autant que le

---

1. « Prélèvements fiscaux et sociaux en France et en Allemagne », Cour des Comptes, mars 2011.

salarié soit payé (en net) plus qu'ailleurs. Autrement dit, le coût élevé du travail en France ne se traduit pas par le fait que les Français soient mieux payés. Au contraire. Ils n'ont connu qu'une lente amélioration de leurs salaires depuis 2000. Un trop grand nombre de salariés sont employés au S.M.I.C., car les allégements de charges sociales accordés par le gouvernement s'appliquent surtout aux bas salaires. Ce qui décourage aussi les augmentations.

Considérez Nathalie, jeune mère de famille de trente-quatre ans qui travaille comme gestionnaire dans une société d'assurance en province. Elle touche un salaire mensuel brut de 1 800 euros mais, après les déductions, elle ne reçoit en fait que 1 400 euros. Pourtant, pour maintenir son poste à cette rémunération nette, l'employeur doit payer 2 550 euros. C'est démotivant pour les deux parties.

N'existe-t-il pas en France une sorte de pacte social tacite, extrêmement dommageable pour la compétitivité, et qui consisterait à accepter des salaires moyens nets bas (à cause des charges trop lourdes) en échange d'une hyper-protection de ces emplois ? Le résultat : on démobilise les salariés et on décourage la création d'emplois. Pour les entrepreneurs, c'est un frein à la croissance.

Alléger la réglementation du marché du travail

Encourager les entrepreneurs de demain

Baisser les charges sociales ou alléger la réglementation du travail, cela serait-il vraiment faire un cadeau aux patrons ? Une chose est sûre, cela permettrait à quelqu'un comme Pierre de Jean de maintenir en France sa production haut de gamme, voire d'embaucher davantage. L'objectif n'est pas de concurrencer les prix de pays *low cost* comme la Chine, car c'est impensable. Il s'agit plutôt d'encourager les entrepreneurs du secteur des services à créer plus d'emplois, et de permettre aux secteurs industriels – plus sujets à la délocalisation mais où le savoir-faire français reste un avantage – de maintenir une partie de leur production en France. D'après une étude menée par la société de consultants McKinsey, la valeur de l'économie numérique française, par exemple, pourrait doubler d'ici 2015 et créer 450 000 nouveaux emplois[1]. Parmi ces jobs du futur, il y a des métiers qui n'ont pas encore été inventés et d'autres (comme les *community managers*, qui s'occupent de l'articulation entre une société et les réseaux sociaux) pour lesquels les entrepreneurs disent déjà avoir du mal à trouver des personnes bien formées. C'est un secteur qu'on

---

1. « Impact d'Internet sur l'économie française », McKinsey & Company, 2011.

devrait encourager afin d'investir dans l'économie de demain. C'est la raison pour laquelle quelques entrepreneurs français, y compris Xavier Niel (Free) et Jacques-Antoine Granjon (Vente-privée), ont créé leur propre école de commerce, l'École supérieure des métiers du Web, pour former les jeunes qu'ils ont eux-mêmes du mal à recruter pour les marchés de demain. Cela serait-il un cadeau d'alléger les réglementations du Code du travail ou les charges sociales en vue d'encourager les entreprises de cette industrie ?

Car, à l'image de Pierre de Jean, patron de la société de parapluies, la nouvelle génération d'entrepreneurs français ne correspond pas à la caricature si répandue en France. Pour mieux comprendre les contraintes qu'ils affrontent, j'en ai rencontré plusieurs lors de l'événement LeWeb, organisé chaque hiver par un Français pionnier d'Internet, Loïc Le Meur. Dans un immense ancien entrepôt des Docks de Paris, converti en espace de congrès, des dizaines de jeunes parlaient de Twitter ou Zynga en jean noir, iPads à la main, dans une ambiance plutôt californienne. Il y avait des ateliers gérés par Facebook et Google, et un concours pour les start-up en quête de financement.

Que souhaitaient la plupart de ces jeunes Français, prêts à se lancer dans une start-up et à prendre le risque d'échouer ? La liberté d'entreprendre sans contrainte ni stigmatisation. « En France, les hommes politiques ne fêtent pas les entrepreneurs ; ils s'intéressent seulement à la protection de la vieille industrie, sans se rendre compte qu'un secteur industriel entier est en train de naître autour d'Internet, a déploré Loïc Le Meur lors de cet événement. Facebook, Twitter ou encore Zynga ont créé des milliers d'emplois ces dernières années. »

Je lui ai demandé ce que pourrait faire le gouvernement français pour faciliter la vie des start-up.

« Mais la Silicon Valley ne vient pas d'une politique gouvernementale ! a répondu en riant ce jeune homme qui vit aujourd'hui en Californie. Le grand problème dans le *high-tech* n'est plus le financement, car il est relativement facile de lever des fonds : c'est le Code du travail français. Ces entrepreneurs n'ont pas besoin d'être protégés. Ils ont simplement envie de réussir sans contraintes. Il leur faut, par exemple, beaucoup de flexibilité : pour recruter vite, ils doivent pouvoir aussi licencier facilement si l'activité ne croît pas comme prévu. Cette flexibilité extrême est une des forces de la Silicon Valley. »

J'ai entendu des réflexions similaires de la part de beaucoup d'autres jeunes entrepreneurs français. Parmi eux, Stéphane Distinguin, fondateur en

2003 de la start-up faberNovel, spécialisée dans le développement de la capacité d'innovation dans les sociétés. Dans son bureau design du Xe arrondissement de Paris, il se pose en apôtre du monde numérique. « Nous avons en France des gens pleins de bonne volonté, avec des gens très talentueux, mais le système a fini par être écrasé par trop de complexité. »

Je lui ai demandé de préciser. Il a déploré la lourde et complexe fiche de paie française, les textes gouvernementaux qui changent tous les ans et les exigences du Code du travail. « En France, il nous manque des entreprises de taille moyenne. Mais ce pays impose des contraintes. C'est assez facile de grandir en dessous de vingt employés ; mais au-delà, les choses sont complexes. »

Outre les normes et contraintes réglementaires, Stéphane Distinguin considère que la société française ne valorise pas suffisamment l'entrepreneuriat, ni l'industrie des services. « Nous ne savons pas apprécier nos spécificités et reconnaître nos champions, a-t-il dit. Par ignorance souvent, mais aussi parce que ceux qui "savent" ont tendance à mieux valoriser des dirigeants issus de systèmes qui ne sont pas les nôtres. Par exemple, les industries de services sont négligées alors qu'elles forment un remarquable domaine de compétitivité et de rayonnement pour la France. »

Alléger la réglementation du marché du travail

Cet entrepreneur a néanmoins réussi à développer son business. Il a aujourd'hui cent employés, avec des bureaux à San Francisco, New York, Moscou et Ho Chi Minh Ville. Tout cela s'est fait malgré tous les handicaps. « Je ne souscris pas du tout à l'idée qu'on ne peut pas faire bouger les choses dans ce pays. J'ai décidé de rester en France et de ne pas partir aux États-Unis. Mais il faut un grand effort pour que cela marche ici. »

Quelle est la cohérence d'un système qui décourage de tels entrepreneurs, qui leur impose de tels obstacles, au nom de la protection de salariés qui sont déjà de grands privilégiés ? Alléger les charges ou les contraintes ne représenterait pas un cadeau pour les patrons, mais encouragerait un peu ceux qui prennent des risques et qui investissent pour l'avenir, comme le font les entreprises allemandes. La France a besoin de davantage de souplesse juridique et de règles moins contraignantes. Non pas pour faire plaisir aux patrons, mais pour inciter les entrepreneurs à s'agrandir, à exporter, à embaucher, à investir et à rester en France. C'est indispensable si le pays veut redynamiser non seulement les secteurs industriels exposés à la délocalisation mais aussi les services de demain et l'économie numérique. La France a besoin d'encourager ses entrepreneurs, pas de les stigmatiser, surtout pas de les étouffer. La surexposition de quelques grands patrons du CAC 40 masque le tissu essentiel des petits patrons et des jeunes entrepreneurs qui ont besoin de respirer. Diaboliser l'entreprise et les patrons peut faire gagner les élections, mais pas la croissance.

Conclusion

Il ne faut pas infantiliser les Français

En cette deuxième décennie du XXIe siècle, toute l'Europe regarde la France. C'est un moment décisif pour le pays, un moment qui déterminera sa place dans le monde de demain. La France est prise en tenaille entre les pays du Nord, créditeurs dans la zone euro, et les pays débiteurs, principalement ceux du Sud. Entre les pays solides, les valeurs sûres, et les pays où la confiance s'est effondrée. Avec la croissance molle qui deviendra la norme pour les années à venir, la France ne peut tenir ses engagements quant à la réduction du déficit, ni retrouver la compétitivité nécessaire pour augmenter la croissance, sans un effort supplémentaire considérable. C'est Manuel Valls qui le disait, courageusement, pendant la primaire socialiste : « L'effort à accomplir est aussi important que celui qui a été fait au lendemain de la Seconde Guerre mondiale[1]. »

En quoi consisteraient ces efforts ? Il n'y a pas de solution toute faite qu'il suffirait d'appliquer à la France. Car le pays a ses propres traditions et sa culture politique. Mais j'espère avoir dégagé dans les pages précédentes quelques pistes qui ressortent de l'expérience des autres pays. Comme sous Gerhard Schröder en Allemagne, ou sous les gouvernements suédois successifs, ou encore sous Mario Monti en Italie aujourd'hui, la France doit travailler à un nouveau pacte social qui prendrait en compte les nouvelles réalités budgétaires et le défi de compétitivité du pays. Il faudra un nouveau « grand compromis » : les Français au travail acceptant plus de souplesse, moins de protection, ce qui se traduira par des charges moins élevées à payer et une réduction du chômage, tout en gardant un filet de sécurité qui préserve le principe de solidarité nationale.

Il n'y a pas de solution facile, mais il existe des pistes potentielles qui respecteraient l'art de vivre à la française. La Suède est le pays qui montre

---

1. « La gauche ne doit pas être démagogue mais crédible », interview avec Manuel Valls, *Les Échos*, 24 août 2011.

peut-être le chemin le plus intéressant pour la France, car elle tient elle aussi à sa forte tradition de solidarité. Rappelons les leçons de l'expérience suédoise en matière de réduction de dépenses. La logique principale a été de préserver tout ce qui encourage le travail, le retour au travail ou le maintien au travail. Les Suédois n'ont pas baissé, par exemple, les prestations familiales, ni touché aux crèches qui permettent aux femmes de retourner travailler. En revanche, ils ont taillé vigoureusement, et souvent douloureusement, dans le montant et la durée des allocations chômage ainsi que dans les pensions de retraite, un domaine où la France a aussi, comme nous l'avons vu, des marges de manœuvre considérables par rapport à ses voisins.

En même temps, les Suédois ont investi massivement dans une politique de retour à l'emploi, de manière à assurer un suivi sérieux, actif et efficace de ceux qui perdent leur job. Afin d'éviter l'effet de « trappe à pauvreté », ils ont veillé à ce que le travail paie davantage que les allocations ou les indemnités de chômage, avec un crédit d'impôt pour les plus modestes qui retrouvent un emploi. Et ils ont modernisé leur système éducatif, déjà de grande qualité, afin de l'adapter au monde de demain.

En matière de compétitivité, les idées pour améliorer la situation française ne manquent pas : on en trouve dans les innombrables rapports officiels, publiés ces dernières années mais vite rangés dans les bibliothèques. Je pense notamment à la commission présidée par Jacques Attali, grande figure de la gauche, sur la libération de la croissance en France[1]. Pas moins de trois cent seize propositions, dont beaucoup ont été négligées par le gouvernement précédent. Parmi les propositions faites après de longues réflexions non partisanes : la baisse des charges sociales afin de stimuler la création d'emplois ; la libéralisation de certaines professions protégées (taxis, pharmacies et notaires) ; ou bien l'introduction d'une sorte de « flexicurité » à la française qui rendrait le marché du travail plus souple tout en garantissant un niveau de protection sociale pour ceux qui sont au chômage. Il est saisissant que l'un des membres de cette commission ait été un certain Mario Monti, qui semble aujourd'hui profiter de cette expérience pour appliquer en Italie les mesures discutées en France.

L'urgence concerne le marché du travail. Il exclut de façon insupportable les jeunes, les femmes non qualifiées et les défavorisés ; il pénalise la croissance des entreprises françaises. Il faudra réfléchir à ce marché coupé en deux – d'un côté les privilégiés en CDI, de l'autre les précaires en CDD –, qui

---

1. Jacques Attali, *op. cit.*

pousse en réalité les employeurs à contourner la loi en recourant de façon permanente aux stagiaires et à l'intérim. Une des options serait un contrat unique avec des droits progressifs, qui donnerait aux employeurs plus de souplesse que l'actuel CDI mais ne serait pas limité dans le temps comme le CDD. Si la France veut redynamiser son secteur privé, elle devra aussi assouplir le Code du travail afin de trouver un meilleur équilibre entre les droits des salariés et les marges de manœuvre nécessaires aux employeurs pour assurer l'avenir de leurs entreprises. Il est temps de mettre fin à cet esprit syndicaliste inspiré de la lutte des classes, où la méfiance règne envers l'action patronale, et de retrouver un dialogue social fondé sur une approche plus constructive et adaptée au XXIe siècle.

Il faudra repenser la fiscalité qui pèse sur le travail. Elle écrase les profits des entreprises et freine l'investissement. La France dispose de suffisamment de marge pour envisager un transfert d'une partie de ces taxes vers la T.V.A., car son taux (19,6 %) reste dans la moyenne de l'U.E. Le Danemark et la Suède, pays à l'esprit égalitaire, ont des taux de T.V.A. supérieurs à celui de la France, à 25 % ; la T.V.A. en Finlande est de 23 %. Une autre option consiste à explorer la possibilité de transférer une partie de la fiscalité vers de nouvelles taxes écologiques. La France arrive en avant-dernière position en

ce qui concerne la part de fiscalité verte dans le
P.I.B. : 1,8 % en 2010, alors que la moyenne européenne est de 2,6 %[1]. Elle dispose donc d'une marge
de manœuvre importante dans ce domaine. Comme
le dit l'O.C.D.E. à propos de la France : « Il y a
largement la place pour rééquilibrer la structure de
la fiscalité en baissant les charges sur le travail, en
éliminant des dépenses budgétaires inefficaces et en
accroissant les impôts sur la propriété, la succession
et les taxes environnementales[2]. »

En matière de dépenses publiques, une réforme
de l'administration est inéluctable. À l'image de ce
qui a été fait par l'Allemagne (par exemple, rééva-
luation des besoins en effectifs de la Bundesbank,
suite à la création de la monnaie unique), il faudra
passer en revue toutes les administrations – de
Météo France à la Banque de France – afin d'ajuster
les services aux besoins réels. Le secteur public du
XXIe siècle doit être un service réactif et souple,
tourné vers le contribuable ou le client (chômeur,
malade), capable de répondre aux besoins. Pas une
machine à fabriquer de confortables emplois à vie.
Par ailleurs, il est temps de réfléchir au statut des
fonctionnaires, qui, dans d'autres pays, dont la

1. Commission européenne, *op. cit.*
2. « OECD Economic Outlook », O.C.D.E., mai 2012.

Suède, n'ont aucun statut spécial et sont employés comme dans le privé sur des CDI.

Il faudra aussi un meilleur contrôle des dépenses des collectivités territoriales, en leur assurant une plus grande maîtrise de leurs ressources et de leurs dépenses, et en les incitant à une meilleure gestion de leurs budgets. À cet égard, il faut responsabiliser les autorités locales en établissant un lien plus direct entre la gestion locale et le contribuable.

La générosité du système social doit également être repensée. Les options sont multiples : une prise en charge d'une partie des dépenses de santé pour les plus aisés ; une franchise plus élevée par médicament prescrit ; un contrôle plus rigoureux des examens médicaux ; une plus grande utilisation des médicaments génériques ; une durée moindre pour les allocations de chômage et un plafond plus bas pour les cadres ; un âge minimum de retraite plus élevé, et qui évolue avec l'espérance de vie ; un rapprochement de la règle de calcul de la retraite entre le secteur public (75 % du dernier salaire) et le secteur privé (basé sur la moyenne des vingt-cinq dernières années) ; une application au secteur public du même délai de carence pour le versement des indemnités journalières en cas d'arrêt maladie que dans le privé ; une condition de ressources pour les allocations familiales ; davantage de ciblage des dépenses sociales. Tout doit se faire dans un souci de juste partage de l'effort pour mettre fin à la culture de la dépense.

On me répondra que les Français sont conservateurs, qu'ils résistent aux réformes et contestent les mesures impopulaires. Enfants de Colbert, de la tradition jacobine, des Trente Glorieuses, ils sont trop attachés à un État fort pour accepter de le mettre au régime. Face à une menace – dette, déficit – qui reste floue, ils ne sont pas prêts à renoncer à leurs privilèges transformés depuis longtemps en acquis. Ils ont vu les ravages des plans d'austérité sauvages de la Grèce et de l'Espagne. Prompts à descendre dans la rue au moindre prétexte, ils n'accepteront jamais la remise en question de ces acquis chez eux.

Vraiment ? Ce qui m'a frappée pendant la campagne présidentielle, lors de mes multiples reportages sur le terrain, c'est le nombre de personnes ayant déjà compris ce qu'il fallait faire, le nombre de personnes lucides. Comme cet agriculteur de la Nièvre qui disait : « Nous savons que les marges de manœuvre sont très limitées, que les hommes politiques ont caché la poussière sous le tapis. » Ou cette retraitée de Lorraine qui constatait : « Quel que soit le gagnant, il peut dire ce qu'il veut, mais il ne pourra pas faire grand-chose. » Les Français ont compris que l'heure était grave. D'après un sondage réalisé au lendemain de l'élection présidentielle,

60 % se disaient favorables à une baisse des dépenses publiques.

Les Français sont des professionnels dans l'art de la protestation théâtrale. Mais une fois leurs accès de colère terminés, ils semblent plus prêts qu'ils ne le prétendent à accepter des changements. Lors des grèves et des blocages contre la réforme des retraites en 2010, le pourcentage de Français qui se disaient solidaires avec les grévistes a baissé progressivement : de 70 % au mois de septembre à 47 % deux mois plus tard. D'autres sondages révélaient une contradiction : les Français soutenaient l'idée de protester tout en reconnaissant que la réforme était « responsable envers les générations futures ». Une fois la réforme votée, les Français semblent avoir vite oublié le sujet. Un mois plus tard, la réforme des retraites ne figurait même pas au top 10 des conversations des Français. On peut y voir une sorte de résignation déguisée en révolte.

Il va sans dire que l'on ne peut pas imposer d'un coup ces changements difficiles. Quand un dirigeant n'a pas annoncé des réformes profondes, ce qui est le cas du nouveau président de la République, il lui faut d'abord plaider cette cause auprès de ses concitoyens. David Cameron, lui, avait été élu au Royaume-Uni sur des bases plus claires : la promesse d'un retour à l'équilibre des comptes publics via un plan d'austérité drastique. C'est plus facile, il est vrai, de faire campagne dans ce sens dans un pays héritier de Tony Blair (de gauche) qui, lui, a parachevé des réformes douloureuses décidées par Margaret Thatcher (de droite). L'ancien Premier ministre travailliste a su convaincre même l'électorat de gauche que plus vaste serait la liberté d'entreprendre, plus considérable serait la prospérité qui en découlerait, réconciliant l'ensemble des Britanniques avec l'économie de marché.

Mais les Français ne méritent-ils pas mieux que d'être infantilisés ? C'est la classe politique qui persiste à les présenter comme des victimes. Et les médias, à leur tour, font de cette victimisation un sport national. À droite comme à gauche, les Français ont droit aux accents misérabilistes d'une classe politique qui, à quelques exceptions près, ne cesse de leur dire qu'ils ont besoin d'être aidés, d'être protégés face à tous les maux de la terre. Il en découle un repli sur soi et une politique de victimisation qui transforme la France – pays disposant pourtant d'atouts formidables, héritier d'une histoire au rayonnement universel – en une nation résignée à l'immobilisme et au déclin progressif.

Tout irait mal. Et tout serait la faute des autres ? Alors que les Français sont en réalité les derniers enfants gâtés de l'Europe et qu'au fond d'eux-mêmes, ils le savent. C'est se moquer de l'intelligence des électeurs que de leur cacher la vérité et

Conclusion

leur débiter du rêve en périodes électorales, entretenant ainsi l'illusion d'un avenir meilleur sans effort. Comme le dit François de Closets : « C'est préparer la révolte qu'entretenir des illusions qui se dissipent tôt ou tard et ajoutent à l'annonce des mauvaises nouvelles la rage d'avoir été dupé[1]. » Les Français méritent mieux. C'est aux dirigeants de préparer le terrain aujourd'hui, avant que l'ajustement douloureux ne soit imposé de l'extérieur. Pour ses futures générations, la France se doit d'affronter sans tarder cette vérité qui dérange. Elle doit se préparer dès maintenant à amortir le choc à venir... faute de quoi elle l'affrontera dans le chaudron d'une vraie et violente crise, demain.

---

1. François de Closets, *L'Échéance : Français vous n'avez encore rien vu*, Fayard, 2011.

	France	Allemagne	Italie	Espagne	Royaume-Uni	Suède
P.I.B. par habitant, PPP, US$, 2011	$35 156	$37 896	$30 464	$30 625	$36 089	$40 393
Dette publique en % du P.I.B., 2012 est.	89 %	79 %	123 %	79 %	88 %	36 %
Déficit public en % du P.I.B., 2012 est.	4,6 %	0,8 %	2,4 %	6 %	7,9 %	0,1 %
Dépenses publiques en % du P.I.B., 2012	56 %	46 %	50 %	42 %	49 %	52 %
Dépenses sociales publiques en % du P.I.B., 2012	30 %	26 %	26 %	25 %	22 %	27 %
Recettes fiscales totales en % du P.I.B., 2010	43 %	36 %	43 %	32 %	35 %	46 %
Charges patronales en % des coûts de main d'œuvre, 2011	30 %	17 %	24 %	23 %	10 %	24 %
Solde commercial US$ milliards, 2011	- $62	+ $206	- $70	- $55	- $47	+ $36
Emploi dans le secteur public en %, 2008	22 %	10 %	14 %	12 %	17 %	26 %
Taux de chômage, 2012, est.	9,9 %	5,6 %	9,5 %	24 %	8,3 %	7,5 %
Taux d'emploi des 60-64 ans, 2010	18 %	41 %	21 %	32 %	44 %	61 %
Taux de pauvreté après transferts (seuil à 60 % du revenu médian)	13,5 %	14,8 %	19,9 %	20,6 %	18,4 %	16,4 %
Augmentation de coefficient Gini (mesure des inégalités), années 1980-fin des années 2000	0	18 %	8 %	NA	11 %	33 %
Âge effectif de retraite, hommes, 2008	59 ans	62 ans	61 ans	61 ans	63 ans	66 ans
Taux de fécondité, 2010	2	1,4	1,4	1,4	1,9	1,9
Taux d'inscription en maternelle (à l'âge de trois ans), 2008	99 %	87 %	95 %	98 %	82 %	89 %

Sources : O.C.D.E., F.M.I., Eurostat
est. : estimation

Remerciements

Merci à Mathieu Laine et à Laurent Laffont pour leur enthousiasme dès le début de ce projet. Je tiens à remercier particulièrement Bertrand Dedryver pour son soutien sans faille et son regard critique et constructif, ainsi que Gaspard Koenig, Pierre Gaillard, Odette Audebeau et Svante Hådell pour leur aide et leurs commentaires précieux. Merci à John Micklethwait, directeur de la rédaction de *The Economist*, et à mes collègues de Londres, Edward Carr et John Peet, pour leur soutien. Merci aussi à Claire Silve, Brigitte Béranger et toute l'équipe des éditions Lattès.

Je tiens également à remercier mes nombreux interlocuteurs en France, dont certains sont cités dans le texte et bien d'autres demeurent anonymes ; les points de vue exprimés dans ce livre n'engagent, évidemment, que moi.

Enfin, merci à ma famille et à mes enfants pour leurs encouragements et leur patience lors de l'écriture de ce livre.

CET OUVRAGE A ÉTÉ COMPOSÉ
PAR PCA
ET ACHEVÉ D'IMPRIMER
PAR L'IMPRIMERIE CPI FIRMIN-DIDOT
À MESNIL-SUR-L'ESTRÉE
POUR LE COMPTE DES ÉDITIONS J.-C. LATTÈS
17, RUE JACOB, 75006 PARIS
EN SEPTEMBRE 2012

JCLattès s'engage pour
l'environnement en réduisant
l'empreinte carbone de ses livres.
Celle de cet exemplaire est de :
450 g éq. CO_2
Rendez-vous sur
www.jclattes-durable.fr

**PAPIER À BASE DE
FIBRES CERTIFIÉES**

N° d'édition : 01 – N° d'impression : 114111
Dépôt légal : septembre 2012

Imprimé en France